My Style Invitations

by Shiho

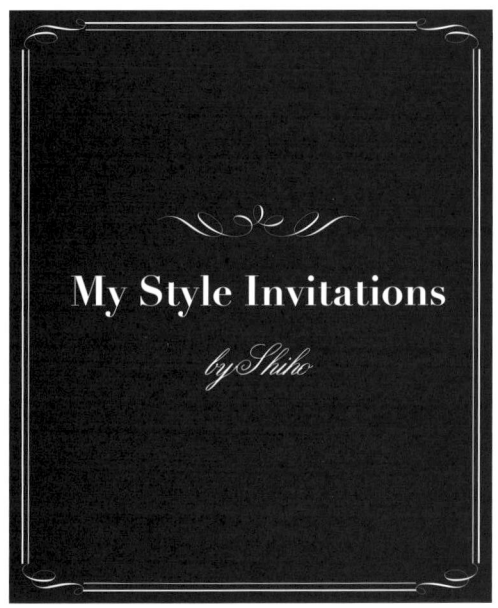

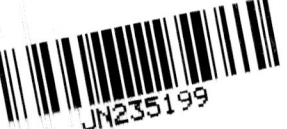

Introduction

My Style History

生まれ育った環境や出会いによって人は作られます。
すべてのおかげで今があり、そこを受け入れて初めて
自分らしい生き方が見つかる。

私は、1976年に滋賀の田舎で生まれ、多いときで8人家族という環境で育ちました。大家族のおかげで、幼少期は淋しいと感じたことはほとんどありませんでした。家の目の前には畑や田んぼが広がり、祖父母たちは、野菜やお米を作り、自給自足のような生活をしていました。いつも採れたての野菜を食べていたし、畑の手伝いもよくしていました。夏には、曽祖母と蚊屋を吊った部屋で一緒に寝たり、冬になると火鉢を焚いたり。今思うと、祖父母たちから、昔ながらの日本のよさを体験させてもらっていたように思います。

大家族での生活で、人とコミュニケーションを取ることの大切さを知り、仕事においてもチームワークや仲間意識を大切にできるのも、家族との繋がりがあったからこそ。何事に対してもあきらめないという考え方は、昔ながらの祖父たちの生き方から学び、自然の大切さが今わかるのも、幼少期の田舎暮らしの日々が影響しています。

16歳のとき、母から「モデルになれば?」と勧められたことで、私の人生は大きく変わりました。それまでブランドもまったく知らず、メイクもしたことのなかった私が、「モデルになる」という夢を描き始めたのです。すぐに雑誌に載っていたモデル募集の広告を見つけ、自ら応募しました。驚くことに半年後には、東京の事務所でオーディションを受けることに。受かった理由は、考える前に行動を起こしたことと、無知ゆえに不安がなかったことだと思います。物事は何でも、いいこと悪いことすべて、想い描いたことが起こるもの。あのときは、東京という未知なる土地にワクワクしていたし、ここで未来が開けると直感していました。

このときに、もうひとつ後押ししてくれた出来事が失恋です。人生で初めて経験した挫折は、新しいことへエネルギーを向けるきっかけをくれました。これと決めたら突き進む。「絶対にモデルになる」という固い決意を胸に、私は東京へと向かいました。

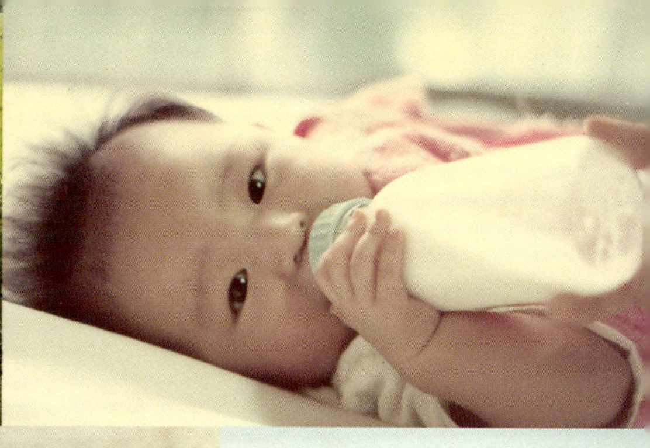

御神燈

仕事を始めた1994年は、転機の年。長年、育ってきた滋賀を出て、東京という新しい土地が住まいに変わったことで、すべてが変化しました。“巣立つ”という言葉がぴったりなほど、東京でのひとり暮らしは新鮮で、学ぶことばかりでした。スポンジが水を吸うように、多くのことを吸収しました。ひとりで暮らすということ、仕事をすることの中で、人との出会いがあり、ぶつかり、悩み、考え、挑戦していました。コンプレックスや「もっとこうなりたい」という想いがすべてを頑張らせていました。

10代後半は、「いいモデルになりたい」一心で、仕事中心の生活でした。このとき、思うようにいかず、もがいていた私に手を差し伸べてくれたのが、当時所属していた「SATORU JAPAN」の小林社長。毎回泣きながら思いの丈を相談し、写真を見てダメ出しされれば、すぐに写真を撮り直し、アドバイスをもらったことはすべて試しました。「モデルとは ?」「キレイとは ?」。モデルというだけではなく、素敵な女性になれるように、恋愛相談や人生においてもたくさんのアドバイスをいただきました。おかげでモデルとして、人として大きく成長できたように思います。夢は自分ひとりでは叶わない。夢が大きければ大きいほど、誰かが応援してくれて、初めて夢に近づけるのだと思います。

モデルの仕事が軌道にのってきた20代中盤からは、「SHIHOとして確立したい」という想いがふくらみました。このときも、ずっと支えてくれていた当時のマネージャー船ケ山さんや、書籍『model;shiho』を出版して以来、様々な仕事を手がけてくれたプロデューサーのヒロ鈴木さんたちが夢へと押し上げてくれました。「モデルSHIHO」であることに責任と誇りを持つようになったのも、この頃です。本名の「志保」は「SHIHO」の成長のために生きるようになりました。

仕事中心の生活から、プライベートで過ごす時間も大切にするようになり、ヨーロッパやアメリカ、アジアなど世界中を旅したり、趣味でサーフィンも始めました。恋愛や仲間と過ごす時間すべてが、モデルとしての表現に繋がっていきました。人生は働くだけじゃない。仕事も遊びも楽しんでこそ、日々の喜びが増す。仲間が増え、時間の過ごし方が変わったことで得るものはたくさんありました。20代後半からは、「30代になっても素敵な女性でいたい」という想いから、体型維持のためのスポーツや定期的なエクササイズなど、自分自身のために努力することを始めました。

そんな私に、次なる転機が訪れたのは28歳。それは、12年前と同じ失恋でした。大切なものを失って、自分というものがわからなくなってしまったのです。その頃に出合ったのがヨガ。20代は、外側ばかりに意識が向いていたのが、ヨガとの出合いで、自分の内側を見つめるようになりました。本当に大切なもの。本当に必要なもの。「何もなくても幸せだと思えるようになろう」という決意。大切なものってたくさんはなくて、ほんの少しだけ。私にとっては、信頼する気持ちがいちばん大切なことでした。信頼できるものに囲まれること。それが、自分を救うことでした。そのときに出会ったのが、夫です。今までは、恋愛におけるすべてが成長でした。けれど、出会ったときから安心感があり、家族を大切にしている彼は、私と似ている人でした。生まれ育った土地も近く、ひとつのことに打ち込み、それを職業にしているところも似ていました。だからこそ、理解し合える感覚があったのだと思います。恋愛というよりも、この先のなりたい理想「家族を持つ」ということに同じ夢を描ける人。だから自然と結婚を決めることができたのかもしれません。

振り返ると、モデルを始めてから、常になりたい女性像を思い描いてきました。それは、カメラの前に立ち、素敵な女性をイメージして撮影するという習慣からきているのかもしれません。理想を思い描き、必要なことを日々積み重ねていくことで、なりたい女性に近づける。「SHIHO」というモデルを素敵に見せるため、年齢を重ねるごとに輝き続けられるように、試し、続けてきたことが、今を作っている。それが、私のスタイル。

Introduction

My Style History

50 Methods

SHIHO's *Beauty* Theory

Total Beauty Guidebook

About this Book

この本は、私が10代でモデルを始め、18年間の経験の中から選び抜いた「美」のセオリーについてまとめたものです。

これほど長くモデルを続けてこられた理由は、「この仕事が好き」というのはもちろんですが、いつの間にか「SHIHO」というモデルのために頑張っている自分がいました。というよりも「SHIHO」という存在が、私を頑張らせたのかもしれません。

仕事を続ける中で、健康管理や体型維持、美容法に人一倍敏感になり、常にからだと心がベストコンディションを保てるように気をつけてきました。コツは、無理をしないで、年齢に必要なことをひとつずつ積み重ねていくこと。そして、体型、体質、性格、癖など、自分をよく知りコミュニケーションをしていくことが大切です。

本書は、美しくなるための「BASE」作り、美しさを引き立てる「ADORN」、心を美しく保つ「MIND」とカテゴリーを3つに分けて、トータルビューティを目指して実際にやっていること、やってきてよかったことのすべてを紹介しています。18年間、理想のために積み上げてきたことが、みなさんのスタイルを見つけるきっかけになりますように。すべての女性にこの本を捧げます。

CONTENTS

BASE

Shiho's principle 1

着飾ることは簡単
素がどれだけ美しいかが
真の美への第一歩

20代は、見た目をすごく気にして
着飾ることに一生懸命でした。
30代からは違う。すべてを脱ぎ捨てた
“素”がどれだけ美しいかで違いが出ます。
それは、誰にも会わないひとりの時間、
からだと心の健康管理、自宅での過ごし方など、
生活スタイルのすべてで作られる。
もっとも美しいと思う“素”とは、からだと心が整い、
清らかで滞りがなく、透き通っていること。
健康でいるため、心に余裕を作るため、
まずは、生活習慣を見直すことから始めよう。
美しさのBASEを磨くため。

*It may be easy way to glam it up
in order to look beautiful.
And outer beauty seems to rule the world,
but REAL beauty... it does come from within.
It's the only kind of beauty, that never fades
away and dies.*

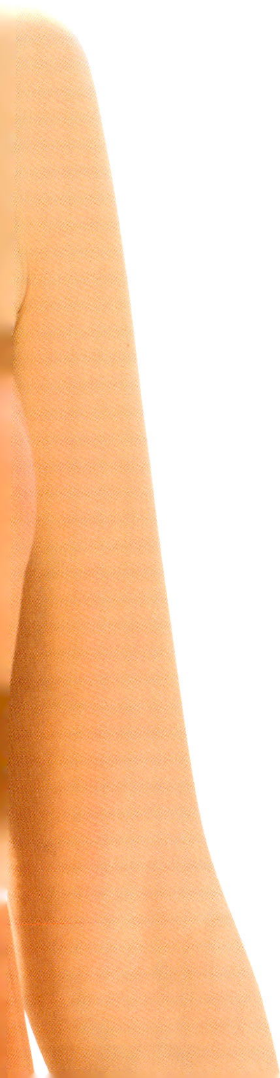

CLEAN BEAUTY

美しいとは、整っていること

美しい人は、肉体と精神が整っている。
生活スタイルを整えることから、
すべての美は作られる。

Morning routines create own beauty

美しさは、朝の習慣から

30歳を過ぎてから、からだの調子だけでなく、心の状態もよくなることが、すべてを楽しめる基本だと気づきました。からだと心は、必ずリンクしている。そこで見直したのが、生活習慣です。生活はすべてのベース。そして、美しくいるためのベースです。そこを見直して整えてこそ、美のスタートになるのではないかと思います。

私は、朝起きたらまず、からだと心を整えることを習慣にしています。実はもともと、早起きが苦手で、いつまでもダラダラと寝ているタイプ。でも、延々と寝てしまうと顔は必ずむくむし、結局1日ボーッと過ごすことになってしまう。ヨガを始めるようになってからは、早く起きてからだを動かす気持ちよさを知りました。起きたらコップ1杯の水を飲み、陽の光を浴びながら、うんと背伸びをして深呼吸。からだの中に新鮮な空気を吸い込んで、背筋を伸ばす。朝陽は、全身の細胞が活性化されるようなすがすがしさを感じさせ、深い呼吸は、体内の酸素や血液の流れをスムーズにし、からだと心をしなやかに、健やかに整えてくれます。余裕を持って起きると、確実に1日の調子がいいのです。

からだは、睡眠や食事、疲れの度合いによって日々変化します。毎朝、同じ動きを続けることで、日によってのその微妙な違いに気づけるようになるのです。たった5分でもいい、朝の習慣を持つこと。それは、確実に私を変えてくれる。からだと心を健全に、1日を気持ちよくスタートするための、貴重な時間です。

Tibet Exercise

チベット体操で、からだを整える

朝の習慣にしているのが、ピーター・ケルダーの「チベット体操」。

たった5分で頭がクリアになり、からだがすっきりします。“若さ”と“健康”と“活力”を永遠に保つ、古代チベット秘伝「5つの儀式」は、からだに7つあるといわれる“チャクラ”（ホルモン内分泌腺を調整し、細胞の再生・活性を促すエネルギーの入口）の働きを活性化します。たった5つの動作ですから、ヨガよりも簡単で効果を感じやすく、習慣にしやすい体操です。

最初の1週間は各プロセスを3回ずつ。2週間目からは6回、3週間目は9回……と、回数を増やし、7週間目に21回ずつ行えるようになるのが理想。私は、3回から始めて、できる回数を習慣にしています。ただからだを動かすのではなく、基本姿勢をキープしながら、呼吸に合わせて行うことがポイント。呼吸は、深く腹部まで息を吸い、充分に吐ききるように。体調やペースを考えながら、始めてみて。

出典『5つのチベット体操―若さの泉』ピーター・ケルダー著、渡辺昭子訳（河出書房新社刊）

基本姿勢

肩の力を抜いて胸を開き、おへそを引き上げ、からだの中心線をまっすぐ伸ばす。

注意点

1. できるだけマットを敷き、からだをサポートしましょう。
2. 深い呼吸を忘れずに行いましょう。
3. 無理して回数を増やさないでください。
4. 怪我、病気のある方は、始める前に医師に相談しましょう。

1

2

3

1 からだを右回転

腕を床と平行にしながら、時計まわりに回転。常に右まわりを保ちます。呼吸を止めずに、自分のペースでゆっくり行います。無理な回転は吐き気、頭痛、平衡感覚の失調を引き起こすので要注意。

1.

まっすぐに立ち、両腕を床と平行になる位置まで上げる。肩の力は抜いて、目は開けたままでセット。

2.

そのままの姿勢で、呼吸を続けながら右まわり（時計まわり）にゆっくりまわる。これを3回くり返す。

3.

目がまわりそうになったらやめる。無理はしない。3回、6回……と増やす際も無理は禁物。

1

2 首と脚の屈伸

横になって、首と脚を曲げずに上げていきます。脚を上げている間は鼻から息を吸い、戻すときは口から息を吐きながら行って。妊娠中や6ヶ月以内に腹部手術を行った方は行わないでください。

1.

仰向けにまっすぐ横たわる。からだの力を抜いて、リラックスした状態に。

2.

鼻から息を吸いながら首と脚をゆっくりと上げていく。ヒザは曲げないように。アゴは胸に近づけ、腹筋を縮めていくように上げる。

3.

息を吸い続けながら脚が床と垂直になる位置まで上がったら、口から息を吐きながら、ヒザを曲げずにゆっくりと頭と脚を下ろす。これを3回くり返す。

2

3

1

2

3

3 上半身の屈伸

ひざまずきながら、ヒザから上体をまっすぐ垂直に、足先は直角にして上半身を後ろに屈伸。上体を反らす際、太ももに添えてある手でからだを支え、深い呼吸を意識しながら行います。首や腰に痛みのある方は、無理をしないように気をつけて。

1.

上体をまっすぐにして床にひざまずく。手はお尻の少し下に当て、リラックスした状態でスタート。

2.

口から息を吐きながら、頭を前に曲げていき、アゴを胸に近づける。息を吐ききる。

3.

息を大きく深く吸い込みながら、胸を開き、上体をゆっくり後ろに反らす。反らしきったら、ゆっくりと息を吐きながら1の姿勢に戻る。これを3回くり返す。

4 頭を反らす

床に座り、上半身は直立、手はからだと平行に腰の横に。ゆっくりと頭を反らし腰を持ち上げます。胴体が床と水平になったところでストップ。ゆっくりと元に戻します。妊娠中、ヘルニア、関節炎の方は医師に確認して行ってください。

1.

脚を前に伸ばして座り、両足の間は30cmほど開ける。背筋を伸ばし、手の平を床につけて、足首を直角にする。

2.

肩の力を抜き、胸を開いて息を吐きながらアゴを胸につけるように前に倒す。息は深く吐ききる。

3.

鼻から息を吸いながら、ゆっくりと頭を後ろに反らす。

4.

そのまま同時に腰を持ち上げる。足の裏を床につけヒザを曲げ、腕をまっすぐ伸ばし、腰が床と平行になるまで持ち上げて。

5.

胴体が床と平行になったら、からだの筋肉を緊張させながら息を止める。ゆっくりと息を吐きながらからだをゆるませ、1の状態まで戻す。これを3回くり返す。

1

2

3

4

5

1

2

3

4

5 腰を上げる

うつ伏せに寝て、腕を伸ばして背骨を反らしたら、腰を持ち上げます。かかとは床につけるのがポイント。逆V字型になったら元に戻します。妊娠中、6ヶ月以内に腹部手術を行った方、ヘルニアの方は行わないでください。

1.

うつ伏せで、手の間、足の間を肩幅ほど開ける。手の平とつま先を支点にして、からだを床から浮かす。

2.

息を吐きながら肩の力を抜き、背骨を反らし上半身を起こす。腕をまっすぐ伸ばして頭は後ろへ。脚は床と平行に浮かす。

3.

息を吸いながら、腰を中心にからだを持ち上げる。目線は手と手の間に。

4.

そのまま息を吸い続けながらお尻を天井に引き上げ、からだが逆V字型になったら、息を吐きながら2に戻る。2～4の動きを3回くり返す。

Organized space brings you peace

美しさは、キレイな部屋から

住まいを整える。風水においても、部屋をキレイにすることは基本中の基本です。家の中によい気を迎えるためにも、部屋を片づけ、風通しをよくして好きな物を飾ることは大切。実は私、恥ずかしながら片づけるのが苦手でした。散らかした後で、まとめて片づけるタイプ（笑）。でも、気づいたのです。部屋が汚ければ、同じように頭も心の中もぐちゃぐちゃで、人としてとてもだらしないということに。

部屋がキレイに片づくと、本当に気持ちがいいです。私は、疲れているときやイライラするときほど、部屋の掃除をするようにしています。部屋が片づくと、不思議と心もすっきりします。部屋の状態は、今の心の中のあらわれ。チリひとつないクリーンな空間は、心のキレイな女性を作り出してくれます。

我が家のリビングルーム。白を基調にシンプルにしています。

To Keep Your Room Clean is Essential

キレイな部屋作り

部屋をキレイに保つコツは、まず「捨てる」こと。家の中の大半はいらない物だったりします。用事の済んだ郵便物、着ない服、古い資料や化粧品などは、処分しなければたまる一方。こまめに捨て、服は半年に1度、衣替えの時期に一気に整理します。次に、すべての物に「置く場所を決めてあげる」こと。物には、置いたときに美しく見える場所、収まる場所があります。最後に、使ったら同じ場所に「戻す」こと。片づけられない人は、使ったら使いっぱなしです。この3つのルール「捨てる」、「置く場所を決める」、「戻す」を守れば、部屋は必ずキレイをキープできます。

My Organizing Rules

1. 部屋にある物すべてに置く場所を決める。
2. 物は、使ったら元に戻し、増やしたら手放す。

SHIHO's Closet ｜ 物はすべて収納します！ 収納は見やすく、使いやすく、片づけやすくが基本です。

左ページ写真 扉付きの棚の中にバッグを収納。ボストン、クラッチ、ショルダー、トート……大きさや用途別に並べれば一目瞭然！

1. 無印良品で買った棚を置いて、ひと部屋まるごと収納ルームにしています。引き出し付きの棚には、ジュエリーや小物、サングラス、手袋を収納。
2. 洋服は、パッと見て何がどこにあるかわかるようにハンガーにかけたり、同じ大きさにたたんで収納。アイテム別、 色別に分けています。
3. 玄関脇の靴箱には、すべての靴を正面に向けて並べています。箱から出す手間がはぶけ、どの靴を履いていくかも瞬時にひらめきます。

My Cleaning Rules

1. 置かない、ためない、ためらわない。
2. ホコリ、チリなど、まめに掃除機をかける。
3. 窓、床、鏡、シンクなどを気にして磨く。

SHIHO picks cleaning products ｜ 掃除の基本は「捨てる」、「吸う」、「拭く」。我が家の掃除グッズを紹介します！

1

2

3

4

5

1. **掃除機** 強力な吸引力でしっかり吸い取ってくれるダイソンと、自動で隅々までお掃除してくれるルンバを愛用しています。
2. **洗剤グッズ** フローリングの床、窓ガラスはもちろん、鏡やシンクもくすみがないように磨きます。場所ごとに専用の雑巾を決めておくと◎。
3. **水まわりセット** バスルームのお掃除には、バケツとゴム手袋、ゴムスリッパがあると便利。
4. **ダストボックス** 空間に臭気が充満しないよう、フタ付きのものがベスト。ゴミはためずに、こまめに捨てるのがポイントです。
5. **加湿&空気清浄機** 空気清浄機で部屋の空気をいつもクリーンに。加湿することで、保湿もできておすすめです。

Decorate Your Home with Flowers

部屋に花を飾る

インテリアはベージュやホワイト、ウッディな清潔感のある色味で統一しています。リラックスできるように、テーブルや棚は自然な温もりが感じられる素材をセレクト。部屋がシンプルなので、観葉植物や季節の花を飾り、明るさや華やかさをプラスしています。大好きなユリやバラなど、香りが高い花は甘い香りが部屋中に漂って、自然のアロマを楽しめます。花やグリーンは生きものなので、置くと部屋が活気づき、エネルギーを与えてくれます。植物に元気がないときは、部屋の空気がよどんでいたり、自分に余裕のないときだったり。いいバロメーターになっています。

観葉植物は、大きいものから小さいものまで、リラクゼーションの意味も込めていたるところに置いています。左から、CIBONE、FUGA、ARFLEX、青山フラワーマーケットで購入。

Making Use of Feng Shui

家相風水で見る

引っ越しをするときは、風水の先生に間取りを見てもらい、家の方角や家具の配置などを相談するようにしています。間取りが同じでも、階が違えば陽当たりも変わるし、方角によっても何か違うと感じるように、目には見えない何かが存在します。家具の選び方や配置を変えるだけでも、部屋の気は流れ、しっくりきます。

家は、自分を作り出す大切なスペース。神経質になり過ぎる必要はないけれど、どんな環境に身を置くかは、“美しさ”という側面から見てもとても大切です。大気や地からの気や太陽の恵みといった、自然のエネルギーをさえぎらないように気を配ることは、心地よい空間作りのサポートになります。

知っておいて損はない
家相風水の基本知識

[東、東南方位]
午前中の陽の光は、すべてのものにとってプラスの作用。朝陽がたくさん入る家は吉！
吉：玄関／台所／リビング

[南西方位] 裏鬼門
南の光は、悪いものを殺菌する作用があり吉。西の光は、消耗する作用があるため、浴び過ぎには気をつけて！
凶：玄関／台所／仏壇、神棚

[北方位]
北は神聖な方位とされているため、トイレ、風呂、流し台、浄化槽など、水まわりのものを置かないように。
吉：仏壇、神棚／寝室
凶：トイレ

[北東方位] 表鬼門
家の中のよどんだ空気が抜けていく方位。南西と北東に窓があれば、空気はキレイに流れ快適に。窓がない場合は、家の中に腐敗した空気がこもらないよう注意して。

1

2

3

4

1. 私の大吉方位である東南をより活性化するには、東南の角に陶器や土を置くのがベスト。大きな陶器に入った観葉植物を飾っています。
2. 外出前のチェックのために玄関の鏡は必須。扉の正面に置くとよくないということから、少し離れた廊下に大きな鏡を置いています。
3. トイレの向きは、私にとっての大凶方位。赤い物を置くといいというアドバイスのもと、赤い小物をたくさん置いています。
4. 夫の大凶方位への対処法として、南の壁に背の高い本棚を置いています。これで悪いものが入ってくるのを防いでくれるのだそう。

HEALTH
BEAUTY

美しさの基本は、健康であること

健全な肉体と精神は、
美の柱になる“食”と“眠り”から作られる。

What you eat determines your beauty

賢く食べる

食は、人のからだを作っているといっても過言ではないくらい大事なことです。美しさは、健康でないと始まらない。バランスの取れた食事を心がけることは、バランスの取れたからだになるための必須条件です。食べないで痩せてしまうと、栄養バランスが悪くなり、体調を崩すだけでなく、貧相なからだを作ってしまう。無理なダイエットや我慢をすることは、美の大敵です。

それよりも、おいしいものを食べたときの喜び、食べたいものを食べられたときの感謝の気持ちなど、からだの中から喜ぶ感覚を大切にしてほしい。それは、からだの内側から美しくなるということだから。よく噛み、ゆっくりと味わい、細胞からの喜びを感じながら感謝していただけば、食べ過ぎることがなくなります。

太らないためには、きちんと決めたルールを守ること。これが私のダイエット法です。同じものを同じ量食べているのに、太る人と痩せる人がいます。それは簡単にいえば、摂取と消費のバランスの違い。まずは、自分の摂取量と消費量のちょうどいいバランスを知ることです。そして、いつ、何を食べるかによって吸収率が変わります。食材それぞれの特徴を知り、生活リズムに合わせて食べるものを選択する。それは、究極の食べるダイエット。そのためには、からだが欲しているものに敏感になることも大切です。季節や体調によって食べたいもの、食べるといいものは変わるから。旬のものは、栄養価が高いだけでなく、次の季節に向けて免疫力を高めてくれる効果があります。夏野菜は、体内の余分な熱を外に排出し、冬野菜は冷えたからだを温めてくれる。食べものの旬にはきちんと意味があります。賢く食べて、健康的に痩せる。それが、私のからだ作りの基本です。

Breakfast

からだにいいものを食べる

朝食を摂らないという人もいるかもしれませんが、私はきちんといただきます。空腹で胃の吸収がいいときだからこそ、最初に口にするものは「新鮮なもの」と「からだにいいもの」。新鮮なフルーツや生野菜は、ビタミンやミネラルを豊富に含み、体内の循環をよくする酵素や、美肌を作る抗酸化成分がたっぷり。生きたエネルギーをそのまま摂取できるよう、ローフードを中心に、"植物性"を意識しながらバランスよく食べるようにしています。朝の食事は、体内リズムを整え、腸の消化を促し、脳を活性化してくれるので、しっかりと食べて1日をスタート！

My rule 1 毎朝、グリーンスムージーを飲む。

新鮮な水とフルーツ、緑の葉野菜で作るグリーンスムージーは、簡単に作れて、デトックスやアンチエイジング、エネルギーアップの効果がある健康ドリンク。おいしいだけでなく、飲み始めてから肌やからだの調子が本当にいい！
私は、毎朝コップ1杯500mlを飲みます。

SHIHOオススメのグリーンスムージーレシピ

おいしさの秘密は、フルーツ60%と葉野菜40%で作るバランス！

Celery and Fruits Smoothie

材料／グレープフルーツ1個、パイナップル1/4個、セロリ1/4本、水1/2カップ
フルーツは皮をむき、種や硬い部分をのぞき、セロリは葉っぱごと。すべて適当な大きさに切り、記載している材料の順にミキサーに。疲労回復が期待できるうえ、さっぱりしていてゴクゴク飲めちゃう！

Parsley and Fruits Smoothie

材料／オレンジ1個、バナナ1/2本、リンゴ1/4個、パセリ1/4パック、水1/2カップ
オレンジとバナナは皮をむき、パセリは茎をのぞき、すべて適当な大きさに切る。記載している材料の順番でミキサーに入れ、水を注いでまわします。甘みがあり、腹持ちもよいので朝食にはぴったり。

My rule 2

1. 和食、洋食、シリアルなど日ごとに替えてバランスよく食べる。
2. ナッツやドライフルーツ、健康食品はいつも常備しておく。

健康ドリンクで栄養補給

ドリンクなら忙しい朝でも手軽に栄養補給できて便利。奥から／ノニジュース、生姜ジュース、アサイージュース

腸内環境を改善するシリアル

豆乳や牛乳、ナッツ、ドライフルーツなどを入れていただきます。左から／玄米フレーク、グラノーラ、チョコシリアル

栄養いっぱいナッツとドライ果実

シリアルなどにかけて。左から時計まわりに／アプリコット、レーズン、ミックスナッツ、松の実とひまわりの種、クランベリー

朝の定番トースト&ジャム

脳を活性化するため、朝の炭水化物は効果的。水溶性食物繊維を多く含むジャムとの相性もよく、朝の定番メニューです。

ヨーグルト&ハチミツで美肌効果

腸内バランスを整えてくれる無糖のヨーグルトにハチミツでナチュラルな甘さをプラス。ドライフルーツを添えるのがおすすめです。

頼りにしている健康食品たち

「MANDA CARE PLUS」「美力青汁」「ベジパワープラス」で植物繊維や酵素を。ビタミンB、C、E、鉄、亜鉛はサプリで補充。

日本人なら和朝食

日本人なら、やっぱり炊きたてご飯と旬の漬けものを摂るとからだがホッとします。これにおみそ汁で大豆成分もプラス。

ミネラルが豊富な海草類

健康に必要なミネラルがすべて含まれている海藻類は毎日摂取! 左から時計まわりに／ゴマ昆布、海苔、わかめ、ひじき

タンパク質が豊富な豆類

血や筋肉、骨、髪などを作ってくれるタンパク質。美肌作用のあるイソフラボンは、毎日の納豆や豆腐で手軽に摂って。

recommend books

デトックス効果で あなたも美肌に

毎朝飲んでいるグリーンスムージーの効果や54のレシピを掲載。『グリーンスムージーをはじめよう!』仲里園子、山口蝶子著（文藝春秋刊）

朝から元気になる レシピがいっぱい

スープやサラダ、パンにどんぶり、甘いもの。バリエーション豊かな朝ごはんが載っているレシピ本。『ごきげん朝ごはん』山崎佳著（講談社刊）

カフェ「bills」の味を 自宅で再現!

休日の朝に作りたい絶品レシピ!『ビル・グレンジャー とっておきの簡単レシピ』ビル・グレンジャー著、柴田里芽訳（武田ランダムハウスジャパン刊）

Lunch

好きなものを食べる

活動的になる昼間は、自然とエネルギーを消費しているので、何を食べるかそこまで神経質になる必要はありません。むしろ、ここで我慢して夜に反動が出てしまうと、美容にもダイエットにもマイナスです。肉や魚といったタンパク質や脂質はもちろん、米やパン、パスタなどの炭水化物、スイーツに至るまで、好きなものを食べてOK！　体重を落とすために穀類や肉、油抜きダイエットをする人がいますが、どれも健康や美を保つために欠かせない三大栄養素。特に脳の活性化を助ける炭水化物は、この時間にたっぷり食べておくのがおすすめです。

My rule 3

1. 炭水化物、脂質、タンパク質は、ランチでしっかり摂る。
2. スイーツ系は、頭を使う仕事の合間に食べる。

SHIHO's fave meals, dessert and tea. ｜ 私が愛するランチ&スイーツを紹介！

「登龍」の四川皇麺

今まで食べた担々麺の中で、いちばんのお気に入り。ゴマとラー油の濃厚で絶妙な辛さがたまらない。1度食べたらやみつきに。
東京都港区麻布十番2-4-5
☎03-3451-0514

「中国飯店」の餃子

分厚い皮に包まれた餃子は、食べると肉汁があふれ出て、まるで小籠包のよう。食べ応えもあり、必ずオーダーするメニュー。
東京都港区西麻布1-1-5
☎03-3478-3828

「A&G DINER」のアジアンバーガー

スイートチリソース＋レモンのアジアン風味な組み合わせが美味。がっつりだけど、味は意外とあっさり！
東京都渋谷区神宮前3-41-2
岡本ビル1F　☎03-3403-9033

「PURE CAFE」のヴィーガンフード

オーガニックにこだわるおいしくて安全・安心なご飯。忙しいときは、いつもテイクアウトします。
東京都港区南青山5-5-21
☎03-5466-2611

「AWkitchen」のトロフィエアラビアータ

手打ちショートパスタ、トロフィエと手作りトマトソースのアラビアータはここの看板メニュー。
東京都目黒区東山1-22-3
☎03-3713-3678

「筑紫樓 恵比寿店」のふかひれ姿入り煮込みつゆそば

フカヒレの歯ざわりと麺にからむトロトロスープが癖になるおいしさ。ここにハマって15年です。
東京都渋谷区恵比寿南1-10-2
☎03-3760-0016

「利庵」の季節のそば

季節ごとに作られる旬のそばに、天ぷらをトッピングして食べるのが私流。上品な口当たりが大好きで、オフの日はよく行きます。
東京都港区白金台5-17-2
☎03-3444-1741

「La Maison du Chocolat」のチョコレート

ショコラドリンクにアイスクリーム、マカロン、エクレア、タルト……。チョコレート好きにはたまりません！
東京都港区北青山3-10-8
☎03-3499-2168

「bills」のリコッタパンケーキ

オーストラリアで食べて以来ファンに。七里ガ浜まで車で1時間かけても食べに行きたくなる味です。
神奈川県鎌倉市七里ガ浜1-1-1
☎0467-33-1778

「フィオレンティーナ ペストリーブティック」のチョコレートケーキ

世界が認める「MODE（モード）」。感動のおいしさです。
東京都港区六本木6-10-3
グランド ハイアット 東京 1F
☎03-4333-8713

「NO57」の白茶

上品な香りと味わい、収穫も年2回という希少性から中国皇帝が愛飲していたというホワイトティー。美肌、美白効果があるだけでなく、本当においしい！
http://no57.org/

「たねや」の季節菓子

出身地・滋賀の有名和菓子店。素材にこだわり、どれも上品な味わい。季節の限定商品は、必ずチェックするほど大ファン。
http://taneya.jp/
☎0120-559-160

Dinner

旬の食材を食べる

夜は、できるだけ旬の食材をいただきます。おいしく栄養価が高いうえに、市場に多く出まわるので値段も経済的。季節に合わせてからだを整え、免疫力を高めてくれる効果もあります。四季のある日本だからこそ、季節の食材を味わい、健康によい自然からの恵みをしっかり摂り入れます。そして、家ご飯と外食のバランスを考えること。外食には料理のアイディアがたくさんあります。おいしいものを食べれば料理の腕は上がるし、家ではいつも楽しんで作りたい。たまに飲み過ぎ、食べ過ぎの日があっても、基本、寝る3時間前には食べ終えるように気をつけています。

My rule 4

1. 炭水化物よりおかず中心に食べる。
2. 腹八分目を守り、食べ過ぎないようにする。
3. 寝る3時間前には食べ終える。

SHIHO's dinner recipe

簡単でおいしく作れるのがいちばん。野菜たっぷりで、元気になれる我が家の定番メニュー。30分以内でできるスピードレシピです。試してみて！

カジキマグロのサラダ

材料

カジキマグロ1切れ、ルッコラ4束、黄パプリカ 1/4個、プチトマト 8個、アルファルファ 適量、ハーブソルト、コショウ 少々、小麦粉 適量、バター 大さじ1/2、オリーブオイル、バルサミコ酢 適量

作り方

①カジキマグロにハーブソルトとコショウで味をつけ、小麦粉を軽くまぶす。余分な粉を落とし、バターとオリーブオイルを熱したフライパンでこんがりと焼く。
②ルッコラはひと口大、黄パプリカは薄切りにし、半分に切ったプチトマト、アルファルファとともに皿に。
③しっかり焼いたカジキマグロを食べやすく切って盛りつけ、オリーブオイル、バルサミコ酢をかける。

トマトのサラダ

材料

トマト 2個、赤タマネギ 1/4個、パセリみじん切り 大さじ1、塩コショウ、オリーブオイル、ホワイトビネガー すべて適量

作り方

①トマトはヘタを取り、くし形に切る。赤タマネギは薄くスライスして、水にさらしておく。
②ボウルにトマト、水を切った赤タマネギを入れ、みじん切りにしたパセリを加える。
③オリーブオイルとホワイトビネガーで②をよく和えてから、最後に塩コショウで味をととのえる。

ホタルイカのサラダ

材料

ホタルイカ 1パック、クレソン 5本、セロリ 小1本、赤タマネギ 1/8個、アサツキ 3本、松の実とひまわりの種 適量、ポン酢 大さじ1、ゴマ油 大さじ 1/2

作り方

①赤タマネギは薄くスライスして、水にさらしておく。
②クレソンはひと口大に切り、セロリは斜めに薄くスライス、アサツキは小口切りにする。
③皿に②と水を切ったタマネギ、ホタルイカを盛りつけ、松の実とひまわりの種をパラパラと乗せる。
④分量のゴマ油をフライパンで温めて香りを出し、ポン酢と合わせて③にかける。

＊季節に応じて、タコや鯛などに替えてもおいしいです。

野菜たっぷり ミネストローネ

材料

ベーコン 4枚、タマネギ 1/2個、トマト 2個、セロリ 1本、ピーマン 2個、黄パプリカ 1個、ニンジン 1/2本、ジャガイモ 1個、カボチャ 1/8個､マッシュルーム 2個、ニンニク 2片、水 600cc、コンソメの素 2個、パセリ 少々

作り方

①ニンニク、タマネギはみじん切り、ベーコンは短冊切り、残りの野菜はすべて角切りにする。
②鍋にオリーブオイルとニンニクを入れて炒め、香りが出たら、タマネギを加えて中火で炒める。
③しんなりとしてきたら、ベーコンを加え炒め、残りの野菜、トマトの順番に入れてさらに炒める。
④水とコンソメの素を入れ、約15分煮込む。
⑤器に盛り、パセリを振る。

滋養強壮におすすめのサムゲタン

材料

鶏 1羽、ニンニク 丸ごと 1個、朝鮮人参（生）1本、干しナツメ 2個、栗（渋皮をむいたもの）4個、むき銀杏 1パック、軽く洗ったもち米 1/2カップ、クコの実 適量、塩、コショウ 適量

作り方

①内臓を処理してある鶏の腹に、材料をすべて詰める。

②圧力鍋に鶏を入れ、鶏にかぶるくらいの量の水（分量外）を注ぎ入れて火にかける。

③圧がかかってから20～30分ほど煮込む。

④器に盛り、塩コショウで好みの味にととのえる。

＊スープが残ったら、卵、ご飯、ネギを入れて煮込み、雑炊を作るのもおすすめ。

冷たい豆スープ

材料

青大豆の水煮 1袋（130g)、豆乳 150cc、牛乳 150cc、オリーブオイル 大さじ1弱、生クリーム 適量、氷 2片、パセリ 少々、塩 適量

作り方

①ミキサーに豆の水煮、豆乳、牛乳、オリーブオイル、塩、氷を入れてスイッチオン。

②しっかり混ぜ合わせたら、器に入れ、生クリーム、パセリを入れる。

季節の旬の食材リスト。バランスよく摂って免疫力をアップ！

1月 菜の花、レンコン、アボカド、アサリ、エビ、カニ、カレイ、タラ、ブリ

2月 せり、水菜、ワラビ、甘鯛、サワラ、海苔、ワカサギ、ワカメ、ブンタン

3月 クレソン、新ジャガイモ、新タマネギ、ゼンマイ、タケノコ、三つ葉、鯛、ニシン、ハマグリ、ヒジキ、もずく

4月 明日葉、アスパラガス、ウド、空豆、ニラ、パセリ、フキ、マッシュルーム、メバル

5月 青梅、さやいんげん、さやえんどう、新ゴボウ、春キャベツ、らっきょう、カツオ、タコ

6月 枝豆、オクラ、ニンニク、デラウェア、穴子、アユ、キス、スズキ、太刀魚

7月 キュウリ、チンゲンサイ、冬瓜、トマト、ナス、ニガウリ、ピーマン、モロヘイヤ、アジ、ウナギ、シジミ

8月 カボチャ、しし唐辛子、トウモロコシ、レタス、マグロ

9月 サツマイモ、サトイモ、シイタケ、シメジ、マイタケ

10月 カブラ、ジャガイモ、大根、ニンジン、栗、イカ、イワシ、サケ、サバ、サンマ

11月 カリフラワー、ゴボウ、セロリ、ブロッコリー、ホタテ

12月 キャベツ、小松菜、春菊、ネギ、白菜、ホウレンソウ、カキ

recommend books

野菜だけだってこんなにおいしい

大好きなオーガニックカフェ「カフェエイト」の菜食レシピブック。メインやスイーツまで満載。『VEGE BOOK』カフェエイト著（リトルモア刊）

ル・クルーゼでうまみたっぷり料理

食材のうまみを逃がさず仕上げるル・クルーゼ。1は簡単レシピ、2にはじっくり煮込むメニューが。『ル・クルーゼで料理』平野由希子著（地球丸刊）

おもてなし料理と最強のスープレシピ

左／野村さんのおもてなし料理。『eatlip gift』野村友里著（マガジンハウス刊）、右／『野菜だけでおいしいマクロビオティックのスープ』奥津典子著（アスペクト刊）

What SHIHO ate……?

1週間の食リストを大公開！
私は、1週間単位で食事のバランスを取っています。

	BREAKFAST	LUNCH	DINNER
SUNDAY	  スイカとトマトとバジルのグリーンスムージー。撮影現場にておにぎり。	  撮影終わりでランチ。前菜いろいろとフジッリのパスタコースを選択。	  簡単な惣菜数種類と焼き魚というヘルシー和食で、おうちディナー。
MONDAY	  焼きジャケ、ご飯、昆布、酢の物で和朝食。フルーツ盛り合わせとでたっぷり。	 打ち合わせ後、ホテルのカフェでクラブハウスサンドイッチ。	  友人たちとディナー。メニューは、チーズフォンデュと鮭のムニエル。
TUESDAY	  自宅でグリーンスムージー、サンドイッチ、ヨーグルト、ジュース。	 撮影スタジオにて、ケータリングのオーガニック弁当。ヘルシーです！	 会食にて久しぶりにフレンチのコース。おいしくいただきました。
WEDNESDAY	  グリーンスムージーと、フルーツ、ヨーグルト、アサイージュース。	  自宅にて、簡単トマトパスタ。夫と外出した際に、おやつに広島焼き。	  夫の友人と合流して、韓国料理。みんなで食べるご飯は品数も豊富！
THURSDAY	 時間がある朝は、バランスを心がけて、ご飯と惣菜で和朝食。	  打ち合わせしつつフレンチレストランのビュッフェ。右は3時のケーキセット。	 ランチ、デザートとしっかり摂ったので、夜はポトフでおうちディナー。
FRIDAY	 具だくさんのシーザーサラダと、グレープフルーツジュース。	  次の撮影に向かう合間に、カフェでランチ休憩。	 家族や友人を招いて、ホームパーティ。和食を中心に頑張って作ったよ！
SATURDAY	  キウイを入れたヨーグルトといちじく、シリアルの朝食に食後のトマトゼリー。	 外出した先で、久しぶりにちらし寿司。生の海鮮たっぷりで大満足！	 友人宅に招かれて、女の子だけでトマト鍋。リコピンたっぷり美肌鍋！

Having deep comfortable sleep

心地よく眠る

美肌の条件のひとつは、とにかくしっかり眠ることです。

肌を再生してくれる成長ホルモンは、夜10時から深夜2時の間に分泌されるといわれているので、できるだけ午前0時までにはベッドに入るよう心がけています。

睡眠不足が続くと、頬の毛穴が開いたり、吹き出物が出たり、油分のコントロールが悪くなったり。とにかく疲れ顔になってしまいます。キメ細かく、透明感や艶、ハリのある肌は、質のよい睡眠から。美しい肌の持ち主は、最高の眠りをしているはずです。

質のよい眠りとは、ただ眠ればいいというものではなく、ぐっすりと深いことが大切。上質な肌を作ってくれるだけでなく、1日の疲れを癒してくれます。疲れをためず、毎日を生き生きと過ごすためにも、1日の“動”と“静”のバランスを考えて睡眠を取ることが大切です。私の睡眠時間は平均7時間。忙しくて眠れなかったときは、次の日に昼寝をするなど、睡眠時間を調整するようにしています。

Create Your Sleep Heaven

心地いいベットルーム作りのすすめ

家の中でもっともこだわりたいのがベッドルーム。ベッドルームは、いってみれば自分の巣です。だからこそ、いちばん安心できて、最高に心地いい空間作りを目指しています。眠りは、からだだけでなく脳や神経を休ませ、細胞を修復し、翌日のためのエネルギーを蓄積してくれます。つまり、美も健康もこの場所で作られているのです。光や香り、肌に触れる素材など、五感を心地よくリラックスさせれば最高の眠りに導かれます。

1

My rule 1 心地いい眠りを誘う、ベッドまわりの環境にこだわる。

1. **観葉植物で癒し効果**
   植物には、部屋の気を浄化したり、疲れを癒してくれる効果が。植物が元気なら、部屋は心地よい空間のはず。
2. **枕にくるまれて眠る**
   うちのベッドには、種類やサイズの異なる枕が10個！　枕でからだを覆うと、安心感からすぐ眠りにつけます。
3. **ホテルのイメージで**
   ホテルのようなベッドメイキングにこだわって、ときどき模様替えをします。ファブリックで部屋の印象がかなり変化します。
4. **シーツの質感も大切**
   こだわりのシーツはエジプト綿。絹に限りなく近い綿素材で、保湿力や吸収性にも優れて、とにかく気持ちいい！
5. **カーテンは一級遮光**
   わずかな光でもまぶたが反応してしまうので、遮光カーテンにはこだわりが。これで朝までぐっすり熟睡できます。
6. **ふわふわブランケット**
   軽くて暖かい「ベアフット ドリームス」のブランケットは、すでに4枚目。1年中使えて、格別の心地よさ！

2

3

4

5

6

My rule 2 気分を落ち着かせてくれる、自分だけの安眠Goodsを揃える。

SHIHO's fave sleep goods ｜ 私が愛用する安眠グッズを紹介！

1

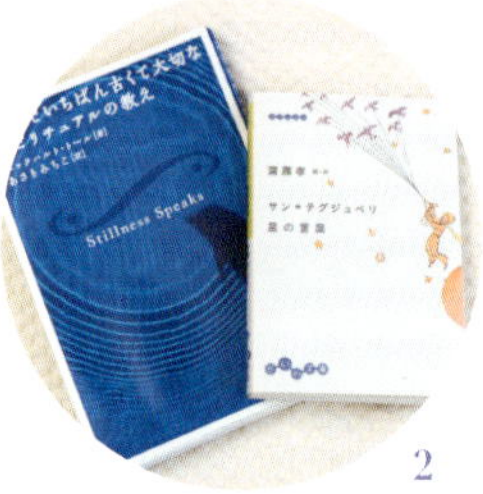

2

3

4

5

6

1. **瞬時に眠りにつける味方**
飛行機などの移動中だけでなく、現場での仮眠、昼寝、寝つけないときにも活躍してくれるスリープマスク。
2. **安心感をもたらす本**
『世界でいちばん古くて大切なスピリチュアルの教え』エックハルト トール 著、あさりみちこ訳（徳間書店刊）
『サン＝テグジュペリ　星の言葉』齋藤孝選訳（大和書房刊）
3. **ウエアにもこだわりを**
肌に直接触れるウエアは、オーガニックコットンに勝るものなし！　ナナデコールのナイトドレスはおすすめ。
4. **適度な重みが眠りを**
夜中に起きてしまったときなどに、まぶたの上に。アロマの香りで、再び眠りを誘ってくれる大切なアイピローたち。
5. **アロマに抱かれて**
大好きな香りアイテム。アロマポットにディフューザー、ミストディフューザーetc。シンシアガーデンなどで購入しています。
6. **揺れる灯に癒されて**
家に帰るとすぐに灯をともすほど、キャンドルは好きなアイテム。寝る前だって、好きな香りで癒されたい。

SHIHO's fave home décor shops

質のよいベッドルーム作りに欠かせない
おすすめショップ。

ラルフ ローレン ホーム

ベッドのデコレーションなど、そのまま真似したくなる夢の空間が広がります。ベットカバー、シーツ、ピローケースなど、上質で美しいデザインが豊富。
問ラルフ ローレン ジャパン
☎0120-3274-20

nanadecor

ネグリジェやアイピロー、ブランケットなどオーガニックコットンにこだわったアイテムが揃う。1度使うと心地よさがやみつきに。
問 Juliette
☎03-5766-1760
http://www.nanadecor.com/

©Nacasa&Partners Inc.

BALS TOKYO

ベッドのスローケットやクッション、キャンドル、アロマなど、多彩な香りと癒しのアイテムに目移り。プレゼントにも喜ばれます。
問 BALS
☎0120-500-924
http://www.balstokyo.com/

SINCERE GARDEN

世界中から選りすぐったオーガニックコスメをはじめ、アロマなどの癒しグッズが試せるショップ。アロマはここで購入。
問シンシアガーデン
☎03-5775-7370
http://www.sincere-garden.com/

アルフレックス

上質の眠りを誘う高級なベッドがたくさん。店内のディスプレイを楽しむだけでも、美しいベットルーム作りのヒントに。
問アルフレックスジャパン
☎0120-33-1951
http://www.arflex.co.jp/

青山フラワーマーケット

旬のお花だけではなく小さめサイズなど、手軽に育てられるグリーンも揃う。はじめてベットまわりに植物を置く人にもおすすめ！
問青山フラワーマーケット南青山本店
☎03-3486-8787
http://www.aoyamaflowermarket.com/

シーリーベッド

体型や体重の違いにより硬さの好みが異なるマットレスも、ここなら種類も豊富。自分のからだに合うものを選ぶことができます！
問東京ショールーム
☎0120-770-366
http://www.sealy-bed.co.jp/

IDC大塚家具

家具はもちろんのこと、カーテン、寝具用品も豊富に揃い、バラエティーに富んでいる。きっと自分好みの商品が見つかるはず！
問有明本社ショールーム
☎03-5530-5555
http://www.idc-otsuka.co.jp/

サンタ・マリア・ノヴェッラ

約800年という世界最古の歴史を誇るイタリアの薬局レシピで作られるキャンドルやポプリなど。香りといえばこの店！
問サンタ・マリア・ノヴェッラ銀座
☎03-3572-2694
http://www.santamarianovella.jp/

MAISON DE FAMILLE青山本店

ランプや写真立てなど、ベッドまわりに置きたい小物がたくさん。温かで洗練された憧れのフレンチ・ライフスタイル。
問メゾン ドゥ ファミーユ青山本店
☎03-5468-0118
http://maisondefamille.jp/

©Nacasa&Partners Inc.

WTW

サーフィンの波待ちをしているときのように、都会にいても開放的なリラックス感で過ごしたい人のためのライフスタイルショップ。
問 BALS
☎0120-500-924
http://www.wtwstyle.com/

Kashwére

なんといってもふわふわとした手触り。このやわらかさに癒されます。ブランケットやバスローブ、ウエアなど、愛用のものがいっぱい！
問カシウエア
☎03-3486-5505
http://www.kashwerejapan.com/

CARE BEAUTY

美しさの秘訣は、ケアすること

美肌、美ボディに欠かせないことは、チェックとケア。
透明感のある艶やかな肌や美しいボディラインは、
丁寧でシンプルな習慣から始まる。

Beautiful Skin Requires Ongoing Care

“美”に欠かせないのは、朝と夜の肌チェック

Check1 透明感

顔のピンポイントなチェックよりも、まずは全体の印象が大事。
パッと鏡を見たときの第一印象はどう？
透き通るように澄んだ瞳、肌、唇かどうか？
血行が悪くて、くすみやクマ、毛穴の開きは目立っていない？
透明感のある肌は、若さや美しさを決めるもっとも理想の肌質です。

Check2 潤い

乾燥は美肌の大敵。花粉が飛ぶ春、紫外線が強い夏、
寒暖の差の激しい秋、特に乾燥する冬と、1年を通して気をつけています。
今日の肌はプルプルでしっとりと潤っている？
水分が足りなくて、小ジワやカサつきは目立っていない？
潤いある肌は、ハリをキープするために欠かせない条件です。

Check3 引き締め

顔のむくみやたるみは、まさに私生活のあらわれ。
寝過ぎや塩分の摂り過ぎ、代謝の悪さも要因に。
フェイスライン、目のまわり、ほうれい線はどう？
最近、顔をマッサージしている？　リンパは滞っていない？
引き締まった肌を意識することが、生活を見直すきっかけになります。

この「透明感」、「潤い」、「引き締め」のある肌をキープするため、
毎日のケアを欠かさず行います。

Skin Care

美肌キープ　7つの基礎ケアルール

美肌ケアのポイントは洗い過ぎず、芯まで潤わせて乾燥させないことです。そして、毎日続けられるシンプルなケアを心がけること。たまには、エステやマッサージなどのスペシャルケアで、肌に栄養を与えてあげることも忘れないで。ここでは、毎日の基礎スキンケアを7つのルールでご紹介します。

Rule1 美肌の鉄則は、基礎ケアを怠らないこと。

特別なケアで面倒になってしまうぐらいなら、毎日続けられるシンプルなケアをしたほうが、よっぽど肌は健康になります。続けることが大切。

Rule2 顔は洗い過ぎない。

洗顔のし過ぎは、乾燥の原因に。朝は水洗顔のみでOK。夜は1日の汚れやメイクを落とすため、しっかりクレンジングします。

朝：水洗顔のみ。
夜：クレンジングは肌に優しいクリーム派。乾いた肌に直接のせて顔全体をマッサージ。その後、ぬるま湯で洗い流します。ナチュラルメイクの日はこれで洗顔終了。
忙しい日は、「ふくだけコットン（P61で紹介）」でサッとひと拭き。マスカラたっぷりの目元は、アイリムーバーで拭き取って。洗顔料を泡立て、ぬるま湯で目元のみを洗い流し、最後に水で顔全体を洗って毛穴を引き締めます。

Rule3 洗顔後は、すぐに水分補給。

洗顔後はすぐに、たっぷりの化粧水で水分補給が鉄則！　水で塗らしたコットンに2種の化粧水を含ませ、薄くはがして顔全体に貼りつけます。

コットンに水を含ませておくのは、化粧水の浸透を高めるため。2種の化粧水とは、とろとろタイプとさらさらタイプ。このふたつを混ぜることで、肌の表面と奥を同時に潤すことができ、とても肌がプルプルに！　このプルプル感をひとつで叶えられるのが「コットン化粧水（P60で紹介）」です。コットンを顔につけたまま3分。化粧水がグングンと肌に浸み込んでいきます。

Rule4 化粧水後は、美容液。

肌に水分がいき渡っているのを手で確認したら（まだ乾燥しているなら化粧水をさらにプラス）、アイクリーム、美容液を塗ります。

アイクリームは、指の腹で優しく目のまわりをマッサージ。美容液は、手の平でなじませてから顔全体をマッサージするようにつけます。肌にしっかり浸み込むように、美容液をのせてから3分間はそのまま置きます。

Rule5 美容液後は、保湿クリーム。

美容液が浸み込んだのを確認したら保湿クリームを。クリームを手になじませてから、アゴ→フェイスラインを引き上げるようにオン。

Rule6 週1のスペシャルケアを欠かさない。

季節や肌の疲れに合わせて、角質除去のクリームパックや泥パック、美容液入りの顔パック、目元パックなど必要なケアを選択します。

Rule7 月1のエステケアで肌にごほうび♪

肌は、季節や体調によって敏感に変わるもの。自分では気づけず、行き届かないケアを専門家にアドバイスしてもらうことも大事。

専門家に定期的に肌チェックしてもらう習慣を。ヘッドマッサージで血行促進してもいいし、顔マッサージや顔針で顔を引き締めるもよし、美肌パックなどで潤いを与えるのもよし。的確なアドバイスとともに、好きなコースで肌にごほうびを！

Breath Exercise

深い鼻呼吸ですっきりフェイスライン

28歳からヨガを始めて、驚くほど美肌をキープできるようになりました。その秘密は、深い鼻呼吸。鼻呼吸は、透明感と引き締めケアのとても重要なカギです。呼吸が浅いと血行や体内の循環が悪くなり、顔色の悪さやむくみの原因に。事実、フェイスラインのたるみやゆるみが気になる人は、口で呼吸している人がほとんど！　口呼吸の人はいつも口が半開きになり、アゴまわりの肉がゆるみやすくなります。舌を口内上部につける鼻呼吸を習慣にすれば、アゴまわりの筋肉は引き上げられ、あっという間にフェイスラインはすっきり！　まずは1日1分。鼻呼吸を習慣にして、質のいい深い呼吸を意識してみてください。

基本姿勢とポイント

アゴを引き、肩の力を抜き、楽な姿勢で。舌は口内上部につけて口を閉じます。鼻というよりは、喉から空気を吸い込み、吐き出すようなイメージで呼吸。胸を大きく開いて息を吸い込み、お腹から空気を喉に向かって、突き上げるように吐きます。
慣れてきたら秒数を増やして呼吸しましょう。

応用1　均等呼吸

4秒で吸って、4秒で吐く。これを6回くり返す。

応用2　均等呼吸2

4秒で吸って、4秒息を止めて、4秒で吐く。これを6回くり返す。

応用3　交差呼吸

左の鼻の穴を押さえ、4秒かけて右の鼻で吸い込んだら、次に右の鼻の穴を押さえ、4秒かけて左の鼻で吐く。そのまま左の鼻で4秒かけて吸い込んだら、左の鼻の穴を押さえ、4秒かけて右の鼻で吐く。これを5回くり返す。

応用4　交差呼吸2

左の鼻の穴を押さえ、4秒かけて右の鼻で吸い込み、両鼻を押さえて4秒間息を止める。次に左の鼻の穴を開け、4秒かけて息を吐く。そのまま4秒かけて左の鼻で吸い込んで、両鼻を押さえて息を止める。4秒たったら右の鼻の穴を開け、4秒かけて息を吐く。これを5回くり返す。

1

2

3

4

5

Face Exercise

手に宿る“気”で滞りを解消！

手には、“気”が宿っています。顔にクリームをつけるとき、手の温もりを感じながら手の平でクリームを伸ばし、「お疲れさま、今日もありがとう」や「引き上がれ～」と気持ちを込めてマッサージすると、本当に顔が引き上がります。愛情をかけてケアすれば、肌は必ず応えてくれます。特にリンパマッサージは、リンパの流れをよくすることでシミやくすみ、むくみ、シワ、たるみなどの防止や改善になるので、朝起きたときや寝る前、ちょっと時間があるときなどに習慣にしています。日頃から手に気持ちを込め、顔の血行をよくして滞りをなくしましょう！

基本姿勢とポイント

肩の力を抜き、お尻を引き締め、姿勢を正し、腹式呼吸でゆっくり気を整えます。さする、まわす、などのマッサージはすべて9回、ストレッチは9秒で行いましょう。

11

12

13

14
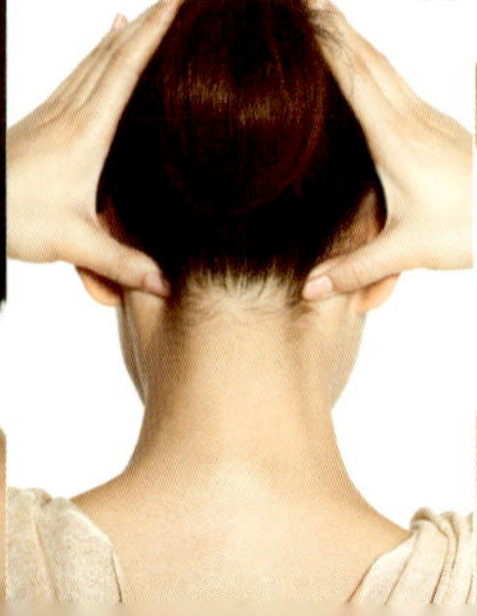
15

1.
お腹の前で手を重ね、手の“気”を感じながら温かさを確認。気功では、息を吐くときに手から“気”が出るといわれている。

2・3・4・5.
肝臓を手でさする。次に、お腹、胸、鎖骨の順にリンパ腺に沿って指の腹でマッサージ。

6.
時計まわりにこめかみに指の腹を当てまわす。

7.
目頭を指先でマッサージ。軽く押しながら左右に動かす。

8.
歯の噛み合わせ部分を指先でマッサージ。2本の指で、円を描くように時計まわりにまわす。

9・10.
歯茎を指先で左右にマッサージ。歯を押さないように気をつけながら、上下ともに行う。

11.
耳たぶ裏の下方のくぼみを指先で上下にマッサージ。リンパがあり、激痛だとメニエール病の可能性あり。

12.
耳の前側にあるくぼみを指先で上下にマッサージ。人差し指と中指で押さえるように。

13.
耳全体を人差し指と中指ではさみ、上下にマッサージ。引っぱりながら動かす。

14.
首のつけ根を親指で円を描くようにマッサージ。手で頭を押さえ、親指は左右ともに時計まわりに。

15.
頭皮を指の腹で押すように前後にマッサージ。ストレスがたまると頭皮が硬くなるのでよくほぐして。

16・17.
肩甲骨を外から内側にまわす。逆まわしも行う。肩、腕の力を抜いて、肩甲骨を動かすように。

18・19.
首を左に傾け、右手を背中にまわし、左手で右手首を引っぱり、首筋を伸ばす。左側も同様に。肩をリラックスして下げるとより伸ばせる。

20.
深呼吸しながら腕を伸ばしてストレッチ。

Eye Exercise

輝く瞳を手に入れる眼球体操

毎日鏡でチェックするとき、肌の状態はもちろんですが、注意深く確認しているのは“瞳の輝き”。目を見れば、その人がどんな人か、どんな状態かわかるように、目ヂカラはもっとも人を印象づけるものだと思います。海に入った後や、自然の中で過ごした後は、目に透明感があふれ、キラキラする。そんなキラキラした目をキープしたくて、いつも習慣にしているのが眼球体操です。朝起きたときや撮影前など、目力アップ&視力アップに効果抜群なので、みなさんも試してみて！

1\.
目を時計まわりに大きく9回まわす。

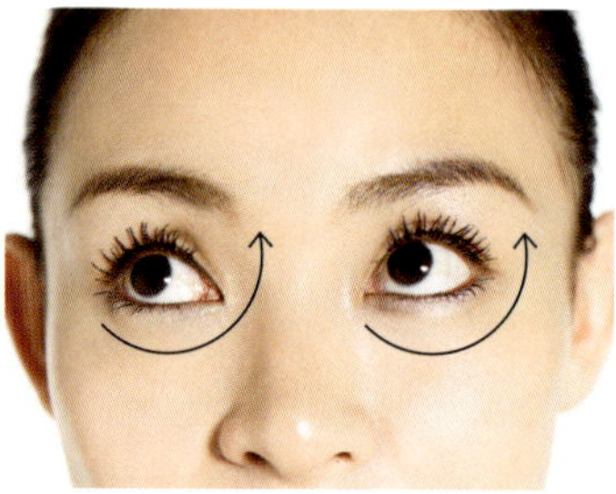

2\.
反時計まわりに大きく9回まわす。

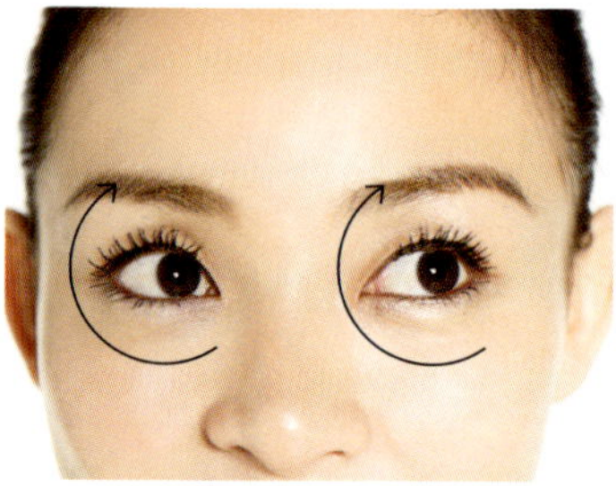

3\.
流し目で右下を見る。9回くり返す。（正面→右斜め上→右斜め下の順に動かす）

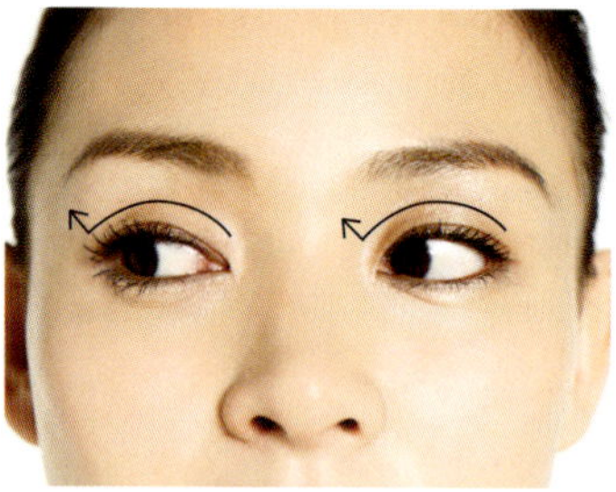

4\.
流し目で左下を見る。9回くり返す。（正面→左斜め上→左斜め下の順に動かす）

5.

人差し指を目の前に置き、指先にピントを合わせたまま、指を前後に動かす。9回くり返す。

6.

人差し指を目の前に置き、指先と遠くの景色（雲や建物など）に交互に目のピントを合わせる。9回くり返す。

SHIHO Picks Skin Care Products

Spring

春は花粉や季節の変わり目が原因で、肌が不安定になりがち。まだまだ乾燥しているのでしっとり感の高いスキンケアで優しくいたわります。

FRAGRANCE

草木や花々が一斉に目を覚ますとき。さわやかな春風にのせ、心地よい香りを漂わせて。ハーブやフルーツのおいしい香りでハッピーな気分になれる♪ ピオニーやホワイトリリー、グレープフルーツ、オレンジなどフレッシュで甘い香り。お風呂上がりにおすすめ。
LoLLIA オードパルファムBR

LOTION

冬の間に肥厚した角層によって、スキンケアの入りが悪いとき。肌の奥までグググッと浸み込むような浸透性の高いしっとり化粧水を入れ込んで。
左／浸透力抜群。花王 ビオレ うるおい弱酸水 とてもしっとり　右／化粧水たっぷりコットン。同 うるおい浸透コットン化粧水 とてもしっとりタイプ

BODY CARE

春服に着替えるなら、ボディケアも抜かりなく！ 不要な角質をオフした後は、心地よい香りのボディクリームで保湿も万全。おしゃれ気分が高まります。
ローズ&ハーブの香りのしっとりクリーム。花王 ビオレ ボディデリ 高保湿ボディクリーム うるおいケアポット クリーミィローズ

DEODORANT

酷暑は汗とニオイを防いでくれるデオドラント系が強い味方！ いい香りとひんやりさらさら肌が続くデオドラントウォーターに癒されています。
左／透明感のあるフレッシュマリンの香り。 ニベア花王 8×4 デオドラントウォーター ミラクル マリン　右／清潔感があるソープの香り。同 ピュアソープの香り （ともに医薬部外品）

SUN PROTECT

ロケなどで長時間外にいるとき、肩ひも&サンダル焼けしないように、UVケアもマスト。さらさらでみずみずしいこの2点がお気に入り♪
左／ジェル状のみずみずしいつけ心地。花王 ビオレ さらさらUVアクアリッチウォータリージェリー SPF30・PA+++
右／つけた瞬間水のように変わる顔用やわらかクリーム。同 ウォータリームース SPF50+・PA+++

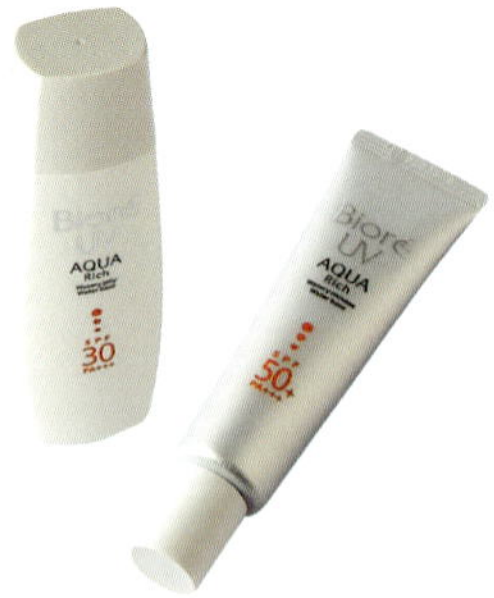

WHITENING

とても紫外線量の多い時期。私は日やけ止めだけでなく、化粧水や乳液などのベーシックケアも美白ラインに替えます。その日のUVダメージをケアして、メラニンの生成に待った！をかけてくれます。
花王 estの美白シリーズは、紫外線によるメラノサイトの活性化と増殖を抑える「カモミラET」配合。シミ・ソバカスをシャットアウト。左から／est ホワイトニングクロスシナジー エッセンス〈美白美容液〉、同 ソリッドスポッツ〈部分用美白固型美容液〉、インナーホワイトニング ナリッシングエマルジョンβ〈夜用美白乳液〉、同 プロテクトエマルジョンβ〈日中用美白乳液〉 SPF50+・PA+++、同 コンディショニングローションβ〈美白化粧水〉、ホワイトUVプロテクター〈日焼け止め〉 SPF50+・PA+++、（すべて医薬部外品）

Summer

紫外線などによるシミ・ソバカスを食い止める美白ケアは必須事項。日焼けには、アフターケアがとにかく大事です。

季節や肌の状態に合わせて、ケアを変えよう。トラブル前に対処できる人こそ美肌の持ち主

肌はとても敏感。それと同時に順応性があります。季節の変わり目に揺らいだりするけれど、その季節に合うスキンケアを行えばたちまち元気に。毎日チェックをしていると、日々肌の変化を感じ取れるようになり、肌が欲するケアをすることができるようになります。

Autumn

夏のダメージを引きずって、肌体力が落ちているとき。肌を潤いで満たし、ボディマッサージや入浴剤で元気を与えて。

MOISTURISING

肌体力をつけるには、潤いがいちばん。肌の芯まで潤す保湿ラインで、季節の変わり目でも揺るぎにくい、キメの整った肌をキープ。
浸透力の高い複合保湿成分「リーキャリード EG」配合の化粧水や乳液とハリやツヤをアップさせるクリームでぷるんと健康的な肌に。
花王 est アクティベート コンセントレートクリーム

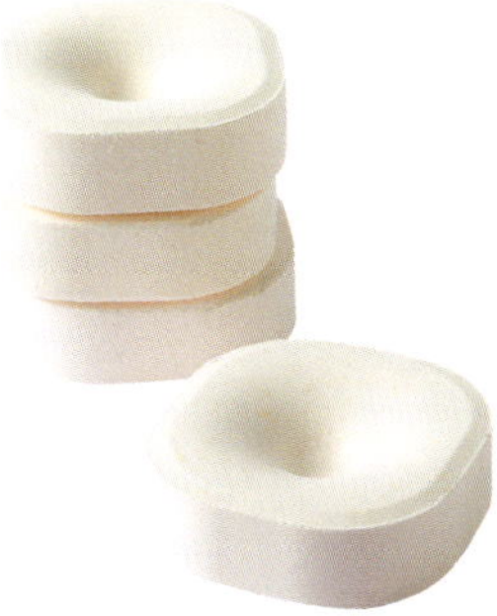

BATH TABLET

1日の疲れを取るには、香りの高いバスタブを入れたお風呂にゆっくりつかるのが最高♪　その日の気分や体調によって、入浴剤を選ぶのが楽しい。今のお気に入りはフルーツやハーブの香り。
炭酸ガスが温浴効果を高めて血行を促進。心地よい香りとともに疲れを癒してくれます。
花王 バブ フルーティサロン、同 摘みたてハーブ日和（ともに医薬部外品）

WASH

紫外線ダメージで肌が弱っているとき。キメ細かな泡で肌をいたわりながら、保湿成分を与えるしっとりタイプの洗顔料で優しく洗って。
40%もの美容液成分を配合したリッチな洗顔料。ほのかなハニーフローラルの香りもうっとり♪　花王 ビオレ マシュマロホイップ リッチタイプ

CLEANSING

冬は、メイク落としが本当に面倒。だからクレンジングコットンが大活躍！　また、しっかりメイクも1度で落とすクレンジングクリームも助かります♪
左／マスカラもしっかり落ちる楽ちんコットン。花王 ビオレ メイク落としふくだけコットン さらさらオイルイン　右／ハードメイクもするりとオフ。洗い上がりしっとり。同 こくリッチ メイクオフクリーム

AROMA GEL

北風に肩をすくめて歩くせいか、肩がコリがち。そんなときはハーブ系精油たっぷりのジェルで香りをかぎつつマッサージすると安らぎます。
ゼラニウム・クラリセージ・ローマンカモミールなどの精油が心身のバランスを取り、体を温め、癒す。ウィミンズアロマジェル〝リズム〟

SCLUB-MASSAGE

冬の間は見えないからと、ついケアを怠りがちなヒジやヒザ、かかと。こういうところも日々のケアで磨いていたほうが、女の格は上がります。
細かなソルトスクラブが古い角質を優しく取りのぞくボディ用マッサージェル。花王 est メタボリックスパ バルネオマッサージ

EYE MASK

これ、本当に助けてもらっています。ふわっと蒸気に温められ、眼精疲労もやわらぐし、疲れた日につけて寝ると、超熟睡。旅にも必須です♪
飛行機の中でも大活躍！　花王 めぐリズム 蒸気でホットアイマスク ラベンダーセージの香り

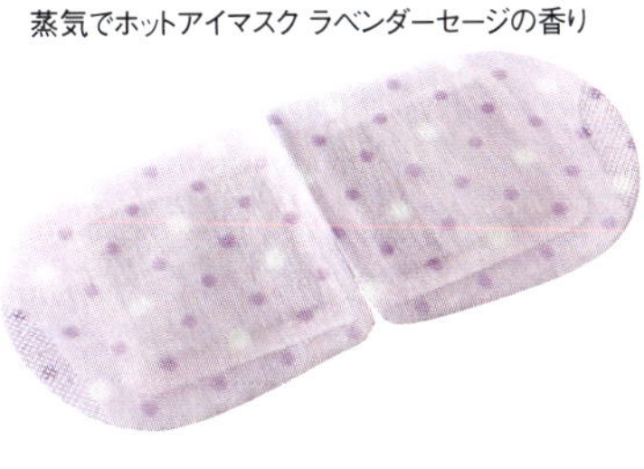

Winter

木枯らしや室内の暖房で、顔もボディも髪も潤いが逃げていく季節。保湿はもちろん、その他のケアもいつもより入念に。

A

beautiful
women
knows
how
to
maintain
a
beautiful
body.

SHIHO's Full Body Check-up

“美ボディ”キープのためのチェックポイント

私にとっての美ボディは、女性らしいやわらかさや丸みがあり、
それでいて凛とした強さや芯が通った潔さがあること。
それを目指して、朝と夜に鏡の前に立ち裸で全身をチェックします。

美ボディは「ライン」で決まる

“美ボディ”に、体重はあまり関係ないと思います。体重が軽くても、ただ痩せているだけでは魅力に欠けるし、体重があっても、ボディラインが美しければ、断然キレイに見えます。脂肪と筋肉では筋肉のほうが重いので、運動して筋肉がつけば体重が減らないのは当然！ 私は年々、体重が少しずつ増えています。

それよりも重要なのは、からだの「ライン」。首筋から肩のラインや鎖骨の位置、ヒジを上げたときの二の腕から脇、横からみた肩のシルエット、バストの形、からだをひねったときの背中からウエスト。さらにお腹まわりやお尻の形、お尻から太ももの裏にかけてのフィット感、股関節の位置、脚の形、足首の締まり……など、全身360度“今のからだ”を鏡でチェックすることが大切です。

気になる箇所はどこか。どう引き締めたいのか。まずは“今のからだ”を見て、“理想のボディライン”を思い描く。どんなからだ、どんなボディラインになりたいかを、私は毎日イメージしています。そして、からだは毎日、微妙に変化します。何を食べるとどうお肉がつくのか、どんな運動をすればどう引き締まるのか、どんなケアが効果的なのか、日々チェックしながら、からだとコミュニケーションして変化を楽しむことが大事！ それは、美ボディへの第一歩。理想のボディラインを思い描ければ、必ず美ボディに近づけます。今のからだにダメ出しをして初めて、翌日の意識も変わるから。

理想は「歪みのないからだ」

歪みのない整ったからだは本当に美しい。それは、二の腕やお腹まわりなど目に見える部分ではなく、背骨や肩甲骨、股関節、それらを支える筋肉など、からだの内側が整っているということ。脂肪や贅肉のつきやすい人は、からだの内側の歪みが原因のひとつ。脚を組む、いつも同じ手で重いものを持つなど生活習慣からくる癖や猫背、筋肉バランスの悪さなど、からだは気づかないうちに歪んでいるもの。そんな歪みによる負担から、余分な贅肉がつきやすくなっているのです。

一生懸命食事制限や運動をしてもからだが整っていなければ、無駄な努力になってしまう。それよりも、歪みを知って改善する努力をするほうが、キレイなからだを手に入れられる近道。内側の歪みがなくなれば、消化や代謝がよくなり、贅肉のつきにくい体質に。美ボディを目指すならまずは歪みチェックをして自分のからだを知ろう

HIPS

お尻の形と太ももにかけてのラインが重要。
お尻を締めて、下がらないように意識します。

WAIST

ウエストのくびれも大切。贅肉がつきやすいので、
マッサージやエクササイズでシェイプ。

BACK

背中もきちんとチェック。年齢が出る部位だけに
ケアは余念なく、姿勢を正すことが大切です。

☑ 歪みチェック

Check1 肩と鎖骨

正面から見て、左右の肩と鎖骨の高さは水平？　肩の歪みは、骨盤の歪みにつながります。姿勢がよければ鎖骨はまっすぐに。

Check2 胸

鎖骨の間の溝と左右のバストトップを結ぶと正三角形になる？　姿勢が悪く、呼吸が浅いと、バストが垂れ下がりやすくなります。

Check3 肩甲骨

背中には、左右の肩甲骨のウィングが出て、間に溝はある？　肩甲骨の柔軟性は、肩コリ解消になり、姿勢もよくなります

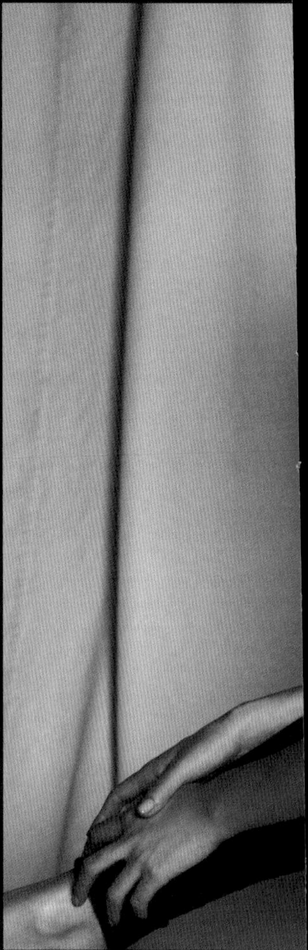

SHIHO's Body Care

「ライン」は、毎日のお手入れで変わる

お風呂上がりの日課は、ボディクリームで理想のからだになるように気持ちを込めてマッサージすること。実際、お腹のぷよぷよが、毎日バストに向かってマッサージしていたら引き締まったのがことの始まり。それからは、二の腕やバスト、お腹まわり、腰、お尻、太ももの裏など、からだの気になるところはすべて、「引き締まれ〜!」とボディクリームを塗りながら、美ボディラインをイメージしてマッサージしています。

How to Massage | 美ボディラインを作るSHIHO流マッサージを紹介。

二の腕

ヒジから脇にかけて贅肉を引き上げ、二の腕の肉を肩の方向へ流しながらマッサージ。

ふくらはぎ

くるぶしの後ろを手で掴み、そのまま指の腹で揉みながら、ふくらはぎの方向に手をスライドしてマッサージ。三里のツボなど足のツボを意識して行うとより効果的。

足

指をしっかり開いて床に押しつけ、こぶしの第2関節の骨を使って、足指のつけ根から足首に向かって、5本の骨の間を押すようにマッサージ。

バスト

みぞおちや背中の肩甲骨の下にたまっている贅肉を、バストトップに向かって両手で右側、左側と順番にマッサージ。次にバストを両手ではさんで、左右にマッサージ。特にバストの上の手は、リンパを意識しながら行います。

お尻から太ももの裏

お尻を突き出すように前かがみになり、太ももの裏全体をお尻まで引き上げるようにマッサージし、少しからだを起こして、お尻と太もものつけ根の境目の贅肉を持ち上げるようにマッサージ。さらに、太ももの裏の外側からお尻の中心へ向かって、引き上げるようにマッサージする。

腰

後ろから見て、引き締まったウエストからお尻にかけて滑らかな曲線ができるようにイメージしながら、背中にある余分な贅肉を、動かしたい場所に向かってマッサージ。自分にとって理想のラインをイメージしながらマッサージするのがポイント。

お腹まわり

恥骨のあたりから贅肉を持ち上げるように、おへそを引き上げながら、腹筋に沿ってマッサージ。そこから右腰の後ろ、おへそまわり、左腰の後ろの贅肉をウエストのくびれができるようにバストの方向へ引き上げて。特に腰は、からだをひねったときにできるたるみを掴むようにマッサージ。

「姿勢を正す」トレーニングで理想の体型に変わる

歪みのないからだとは、姿勢がいいこと！ それは何かに頭を引っぱられて宙に浮き、人形のように全身の力をダラーンと抜いたときの骨の状態。つまり、からだのどこにも力が入らず、背骨が自然なS字カーブを描くこと。地面に立ったときも同じような状態でいるためには、頭とおへそを常に引き上げる意識を持ち、背骨の自然なカーブ（生理的湾曲）を維持する必要があります。美ボディになるには、腕やお腹、背中、お尻などの目に見える贅肉を気にする前に、正しい姿勢を作る肩甲骨と、上半身と下半身を繋ぐ股関節を柔軟にし、背骨の自然なカーブを保つための筋肉を鍛えることが大事なのです。難しく考えなくても、肩の力を抜き、胸を張り、おへそを引き上げ、腰をまっすぐ伸ばせば、おおむねそれが正しい姿勢。私はいつも、正しい姿勢を意識して、トレーニングしています。運動をするときは、この姿勢をキープしたまま動くと効果的。ヨガやエクササイズ、テニス、ゴルフ、ランニング、ストレッチ……など、どんな種類の運動でも、この姿勢が基本です。無意識にキープできるようになれば、必ず贅肉のつきにくい、引き締まったからだが手に入ります。

運動でボディコミュニケーションしよう！

28歳からトレーニングを週に1回のペースで始めました。継続的なトレーニングは、無条件に美ボディを作り上げてくれます。からだを動かすことで、自分の癖や歪みに気づくことができ、からだとコミュニケーションが取れます。運動で内側を整え、より早く美ボディを手に入れよう！

recommend books

3つのメソッドに着目！

2005年に私が初めて出したDVD付きトレーニング本。初級者や運動の苦手な人におすすめです。
『SHIHOトレ』監修 大友麻子他、SHIHO著（マガジンハウス刊）

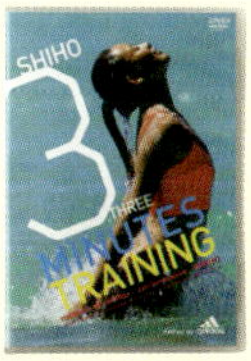

3分トレーニングを収録

ヨガ、ランニング、ゴルフなど6つのスポーツに必要な運動を、1セット3分単位で解説したDVD。
『3分間トレーニングmethod by adidas』SHIHO著(マガジンハウス刊)

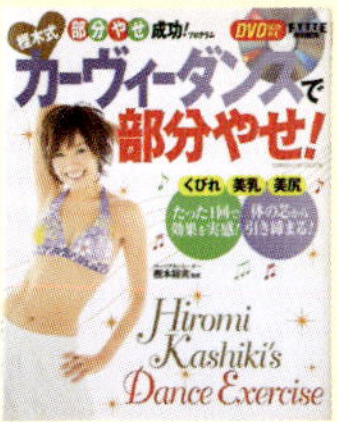

部分やせなら樫木式

トレーニングを楽しむこと、からだの力を抜く大切さを知りました。これをやると、驚くほどくびれます！
『DVD付き 樫木式カーヴィーダンスで部分やせ！』樫木裕実著(学習研究社刊)

自宅でヨガを体験

ヨガに出会って、からだの軸を確立することができました。呼吸の大切さも実感！ 自宅で実践できるDVD付き。
『おうちヨガ』監修 ケンハラクマ、SHIHO著(ソニー・マガジンズ刊)

からだと心が変わる

骨を整え、歪みをなくし、体幹を鍛えるトレーニングを紹介。正しいランニングフォームや呼吸法、瞑想法にも注目。
『やせトレ』監修 湯本優、SHIHO著（集英社刊）

Ask the Beauty Expert

美のエキスパートを持つ

　キレイをひとりでキープするのは大変。基本のケアは自分で、その他は専門家に任せています。それは、ネイルやヘア、エステや病院、ジムなど、各分野に何でも相談できるスペシャリストを持つということ。尊敬し信頼できる人の存在は心強く、楽に美しくなれる秘訣。魅力は自分だけじゃなく、他の誰かによって引き出されるものだから。

Hair

髪で女度を上げる

ヘアスタイルは、その人の印象を決める大切な部分。だからこそ、信頼できて、相談に乗ってもらえるプロフェッショナルにお願いしています。

Voice Training

声もからだ全体も整う

1年前からボイストレーニングに通っています。声の出し方、呼吸法、股関節の整え方まで学び、からだ全体が整います。

Nail

美しい指先をキープ

基本的にいつもジェルネイル。美しいネイルはもちろん、美容知識が豊富で最新美容情報や、おすすめコスメなども教えてもらっています。

Yoga

心が落ち着く時間

自宅での毎朝のヨガだけでなく、新しい技法や情報の収集も兼ねて、ヨガの先生を訪ねます。ヨガは知れば知るほど奥深く、心が落ち着きます。

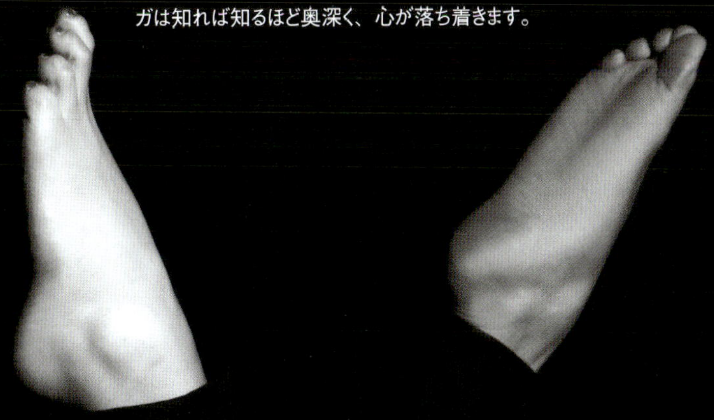

Massage

からだのSOS時に駆け込む

広告撮影の前や海外から帰ってきたとき、極度の疲労でからだが悲鳴を上げているときに、駆け込めるサロンはありがたい存在。

Hospital

からだ全般を相談

専門の婦人科医を持つことは、女性にとって大切なこと。婦人科系や人間ドックのほか総合的に診ていただいています。健康美は早期発見、早期治療が鉄則！

Exercise

からだのメンテナンスに

正しい姿勢作りを基本に、メリハリボディ作りやメンテナンスをしてもらっています。からだの位置を整えるとモデルのポージングもキマります。

EXPERT DATA

エキスパートたちにask！
あなたにとっての“美しい人”とは？

私が絶大な信頼を寄せ、さまざまなアドバイスをいただいている美のエキスパートたちに、“美しい人”の定義を聞きました。それぞれの立場で答えてくださったコメントを参考にあなたもできることから始めてみませんか。

Hair

BEAUTRIUM
川畑タケルさん

「まさにSHIHOさん。明るく美しい身のこなし。ピースな気持ちを大事にしているところが美しい」

10年以上のおつき合いですが、気分転換したいときにカットに来てくれます。

BEAUTRIUM　七里ヶ浜
ビュートリアム シチリガハマ
神奈川県鎌倉市七里ガ浜1-1-1
WEEKEND HOUSE ALLEY 04
0467-39-1201
http://www.beautrium.com/

Twiggy オーナー
スタイリスト
松浦美穂さん

「自分を知っている人。自分自身に挑戦し続けていく前向きな姿勢をヘアスタイルにも持っている人」

カラーリングとトリミングカットに時々いらっしゃるSHIHOさんもしなやかな強さが魅力的ですね。

Twiggy
ツィギー
東京都渋谷区神宮前3-35-7-0001
http://www.twiggy.co.jp

Twiggy ヘアカラー
ディレクター
ステファン・デュポンさん

「自分自身をわかっていて、内面から出てくる品格がある人」

ヘアカラーを担当してまだ間もないですが、とても明るく元気をくれるSHIHOさん。もっと親しくなって、力になりたいです。

Twiggy
ツィギー
東京都渋谷区神宮前3-35-7-0001
http://www.twiggy.co.jp

traffic hair design
代表
小原康司さん

「健康的に人生を過ごしている人」

美しさはムダを省いたシンプルなスタイルに変化、進化していると思います。SHIHOさんが15年以上も何か変化を求めに来てくれること、嬉しいです。

traffic hair design
トラフィック ヘア デザイン
東京都目黒区自由が丘2-8-2
ラヴィータA棟
http://www.traffic-pr.com

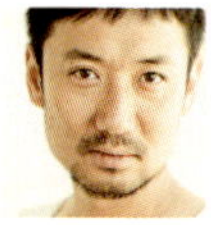

Tributo
ヘア&メイクアップ
アーティスト
河北裕介さん

「毎日の生活、プライベートの時間を大事にし、楽しんでいる人」

SHIHOさんは月に1回程度、髪のトリートメントに来店されます。ハッとする透明感と、まわりを明るくする笑顔がステキです。

Tributo
トリビュート
東京都港区北青山3-8-3
ミュート表参道 2階
http://www.tributo.jp/

ZACC prime 代表
高橋和義さん

「自分をしっかり持ち、何かひとつを極めている人」

カラーリングやトリートメントで来店されるたびに、やわらかい雰囲気の中に、“凛”としたオーラが漂っているSHIHOさん。いつも自然体なところも魅力です。

ZACC prime
ザック プリム
東京都港区北青山3-6-23
青山ダイハンビル3F
http://www.zacc.co.jp/

Nail

uka代表
ネイリスト
渡邉季穂さん

「等身大の人。人と比べない自分に自信を持った人」

15年ほど前からのおつき合いで月1回ネイルやヘッドスパに来てくれたり、ごはんを食べに行ったりしています。前向き、吸収体質、自然体……会うたび元気をくれる大切な友達です。

uka ミッドタウン
ウカ ミッドタウン
東京都港区赤坂9-7-4　東京ミッドタウン
ガレリア2階　ビューティ-&ヘルスフロア
http://www.uka.co.jp

nadine NAILS
代表・ネイリスト
高野尚子さん

「ポジティブで常にいろいろなことにチャレンジしている人。努力を怠らない人は美しい」

8年くらい前に知り合って、今ではプライベートでも仲良し。SHIHOさんは明るく太陽のような存在です。

nadine nails 表参道
ネイディーン ネイルズ オモテサンドウ
東京都港区南青山5-6-24
バルビゾン23-1階
http://www.nadine.jp/

Voice Training

スタジオ・レイ
主宰
加瀬玲子さん

「心身ともによどみがなく、堂々とした自分でいられる人」

週1回程度、呼吸・発声・ストレッチと、頑張っているSHIHOさん。“集中力”と、わからないことを本気で悔しがる“しつこさ”は本当に魅力的。

STUDIO RAY
スタジオ・レイ
東京都杉並区永福3-57-19　東都ビル4階
http://www.studioray.gr.jp/

Massage

ミッシィボーテ 主宰
エステティシャン
髙橋ミカさん

「メリハリボディと笑顔。
内から出る幸せ感を感じられる人」

まさにSHIHOさんですね。お疲れのときやCM撮影の前にいらっしゃるたび、完璧ボディと赤ちゃん肌に惚れぼれします。

Mishii beaute
ミッシィボーテ
東京都港区白金
※住所非公開
http://www.mishii.com/

ABSOLU HERBEEN
薬剤師・美容研究家
早野実希子さん

「目標実現のために邁進している人。話し方や
しぐさの中に独特のオーラと個性を持っている人」

定期的にトリートメントにいらっしゃるSHIHOさんは、自己プロデュース力に長けた方。会うたび進化していて驚嘆しています。

Absolu Herbeen
アブソリュハービン
※住所非公開
03-6638-6979
http://absoluherbeen.com

グランド ハイアット 東京
NAGOMISpa&Fitness
マネージャー・エステティシャン
小林千恵子さん

「自分の持つ能力を開発しながら、社会貢献して
いる人。与えられた条件・環境でベストを尽くせる人」

月に1回程度、スパトリートメントを担当。
SHIHOさんは心身ともにしなやかで自然体です。

グランド ハイアット 東京 NAGOMI Spa & Fitness
グランド ハイアット トウキョウ
ナゴミ スパ アンド フィットネス
東京都港区六本木6-10-3
http://tokyo.grand.hyatt.jp

Exercise

STUDIO51.5
ボディメイクトレーナー
樫木裕実さん

「自分を知っている人。意志のある生き方をし、
長所を生かして内面からあふれるパワーを感じさせる人」

“美しい人”らしくSHIHOさんも週に1回は、まさに“意志のある”プロポーション作りにいらしています。

Body Conscious STUDIO 51.5
ボディコンシャス スタジオ ゴーイチゴ
東京都渋谷区恵比寿3-9-20
恵比寿ガーデンイーストB1階
http://www.515.co.jp/

Medical & Style
医学博士／
メディカルアドバイザー
湯本優さん

「姿勢がよく、からだの軸がしっかりしたバランスの
よい体形の人。心身ともに健康的な人」

10年前から友人です。常に自分の心とからだと向き合い、徹底的に努力する姿を見るたびカッコイイと思います。

Medical & Style株式会社
メディカル&スタイル株式会社
http://www.medicalstyle.jp

R-BODY PROJECT
代表
鈴木 岳さん

「自分自身の美の定義を持つ人。その美を達成・
維持するための自己管理能力が高い人」

ときどき、私共の施設にトレーニングにいらっしゃるSHIHOさん。自分らしさを、からだや言葉から自然に表現できるところがステキです。

R-BODY PROJECT
アールボディ プロジェクト
東京都渋谷区広尾1-3-14
ASAX広尾ビル2階
http://www.r-body.com/

Yoga

YOGA STUDIO TOKYO
ヨガインストラクター・
ヒプノセラピスト
大友麻子さん

「自分自身に誠実で正直な人。
晴れ晴れとした空気感をまとっている人」

週に1回ヨガにいらっしゃるSHIHOさん。背骨がやわらかくエネルギーがスムーズに流れているなと、魅力を感じています。

YOGA STUDIO TOKYO
ヨガ スタジオ トウキョウ
東京都渋谷区渋谷2-22-14
新免ビル8階
http://www.yogastudiotokyo.com/

インターナショナル
ヨガセンター／アシュタンガ
ヨガジャパン代表
ケンハラクマさん

「ボディラインや外見もさることながら、いつも
新しいことに興味を持ち、毎日を楽しんでいる女性」

ヨガに対し常に前向きで、新しい自分の発見を楽しんでいるSHIHOさんはまさに上記のような“美しい”人。

IYC
インターナショナルヨガセンター
東京都杉並区荻窪5-30-6
福村荻窪ビル1階
http://www.iyc.jp/

Hospital

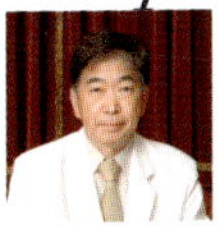

山王病院
院長
堤 治さん

「自分の仕事に意志・志向・誇りを持って働いている人」

そういった女性の健康（リプロダクティブヘルス）を守るのが産婦人科医の役目です。それだけでなく、風邪や腹痛から重い病気が心配なときまで、どうぞお気軽に山王病院をお訪ねください。

医療法人財団 順和会
山王病院
東京都港区赤坂8-10-16
http://www.sannoclc.or.jp/

フェニックス
メディカルクリニック
院長
賀来宗明さん

「いつも微笑みを絶やさず、純真無垢であり、
そばにいて心地よい人」

主治医です。元来健康優良児ですが、わずかな不調も自覚して早期受診で解決。一生、彼女の応援団でいたいと思います。

医療法人社団　鳳凰会
フェニックスメディカル クリニック
東京都渋谷区千駄ヶ谷3-41-6
http://www.phoenix.gr.jp/

ADORN

Shiho's principle 2

美しさは自分を魅力的に
演出することで、引き立てられる
理想を描き、研究し、挑戦する

見せ方を知るって、実はとっても大切。
ファッションとは、個性や生き方の表現。
だからこそ、スタイルがある人はかっこいいし、
惹きつけられる。着こなしを見れば、どんな風に
生きているかわかるほど、その人らしさがあらわれる。
どんなに素敵な人も着こなしひとつで
印象がガラリと変わってしまうから。
必要なのは、自己演出力。見せ方、引き立て方を
よく知り、服に合わせたヘアスタイルやメイク、
小物使いなど、トータルに考えられることが必須条件。
引き出しをたくさん持ち、演出ができれば、
どんな女性にだってなれる。
それが、ファッションのおもしろいところ。

Fashion has to reflect who you are,
what you feel at the moment,
and where you're going.
It doesn't have to be right, doesn't have to be
something others would want it to be.
Just has to be you...

CREATE BEAUTY

スタイルのある人は美しい、
自分の見せ方を知っているから

魅力的な人は、スタイルを持っている。
美しさを引き立て、素敵に見せるのは、
自分を演出するスタイルの創造。

The Source of SHIHO's Inspiration

SHIHOスタイルの源

モデルになるまでは、ファッション誌を買うこともなく、ブランドもまったく知らないどころかファッションに関して本当に無頓着でした。そんな私が突然、モデルという世界に飛び込んでしまった。まわりにはおしゃれで素敵な人がたくさんいて、初めて知ることばかりで戸惑いましたが、同時に、ファッションという世界の扉が開いたのです。

モデルとして、写真を撮られるときには、どういうポーズや表情をすれば素敵に見えるか?ということを常に考えます。素敵な女性を演じるには、求められている女性像を自分がイマジネーションできるかどうかが大切。そのために、理想の女性や着こなしをいつも研究しています。

海外の写真集や映画を見たり、旅行に行ったときには現地の女性たちのスタイルを観察したり。ヨーロッパやアメリカ、アジア……国によってそれぞれ女性の魅力が違うので、素敵だと思う人たちをすべて自分の中にインプットして、着こなしから、しぐさ、話し方、歩き方、身のこなしと、いろいろ研究しています。

ときには、スタイリストさんからのアドバイスを聞いて、新しいスタイルにトライすることも。好きな服は知っていても、案外、似合う服って自分自身ではわからなかったりするものです。仕事にはコンサバな服を着て行く一方で、普段はすごくカジュアルだったり、黒ばかり着ていた時期もあれば、色ものにハマったときも……と、いろいろ試してみたうえで、まわりに褒められて、初めて似合うスタイルを見つけられるのです。見てきたものやまわりにあるものすべてがおしゃれのインスピレーション。そこからなりたい理想をイメージすることが、おしゃれへの第一歩。

SARA
JANE
HOARE
FOREWORD BY SIR ELTON JOHN
TIM WALKER
PICTURES
teNeues
COWBOY
KATE
&
OTHER
STORIES
Sam Haskins
Director's Cut
Woman in the Mirror
Richard

What is the element of SHIHO style?

スタイルを作る10の要素

Element 1

How to make the styling every day?

目指すイメージの引き出しを持つ

毎日、コーディネートを考えるときに思い描くのは、海外の素敵な女性たち。永遠に好きなスタイルの「フレンチシック」や「スタイリッシュin NY」、ときには気持ちのいい「LAカジュアル」、大人の女性を思わせる「ミラノモダンエレガンス」。そんな4つの柱を、シチュエーションや気分に合わせて楽しむのが、今の気分。

イメージの“引き出し”を持つことが、スタイル作りに繋がります。

I'm influenced by Jane Birkin and Brigitte Bardot.

永遠のファッションアイコンでもある、ジェーン・バーキンやブリジット・バルドーにインスパイアされるスタイル。
女の子の持つ可愛らしさやコケティッシュさ、やわらかさ、優しさを出したいときに選びます。透け感のある素材やパフスリーブなどの少し甘いディテールを主役に。
ヘアスタイルやメイクも、'70年代を思わせるような雰囲気で合わせるのが好バランスです。

"French Chic"

ボーダー×スキニーデニムのクールなモノトーンスタイルに、さらっとバーキンを合わせて、大判ストールでキレイ色を効かせる。そんな小物使いが大人カジュアルを格上げ。

Hermès Birkin

accessories

オールインワンとレースの甘辛ミックス。ボリューム感のある足元や、バングルの重ねづけをアクセントに。ニュアンスのあるまとめ髪が女らしさを引き立てる。

A fashion model must have a good carriage.

Christian Louboutin

“Stylish in New York”

NYコレクションに行ったときに、「この街は、人がおもしろい！　洋服よりもそれを着こなす人の人間性や個性、知性のクオリティが高い」という印象を受けました。服そのものはラフでカジュアルだけれど、それぞれのスタイルがとても出ている、そんなニューヨーカーのおしゃれが好きです。キメ過ぎず、どこかにラフさがあるほうがおしゃれに見える！　イメージするのはクロエ・セヴィニーやソフィア・コッポラ、サラ・ジェシカ・パーカー。そして、若かりし頃のダイアン・フォン・ファステンバーグなど。彼女たちは個性を持ち、都会で働くかっこいい女性の代名詞です。

ミニワンピにジャケット、そして素足にパンプスは、女性をかっこよく見せてくれる鉄板コーディネート！

Girls think much of fashion.

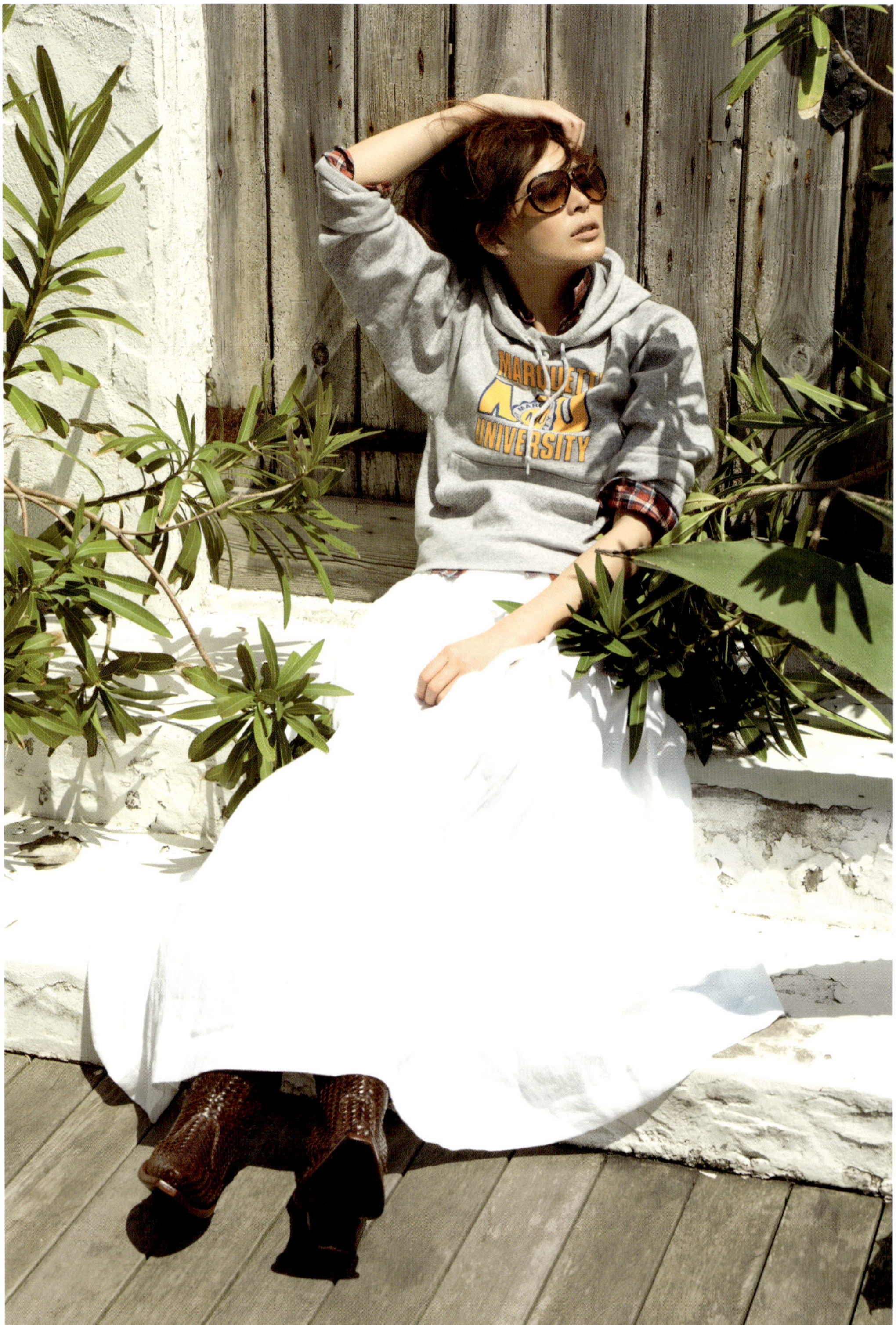
MARQUETTE
UNIVERSITY

1.Books

2. Denim Shorts

“L.A. Casual”

4. Long Skirt

3. Flannel Shirts

5.Sandal

LA独特のゆるい空気感やあっけらかんとした明るい雰囲気が大好きです。恋愛や人生を楽しもう！というポジティブなノリ。思わず笑顔がこぼれるような、元気な色の服を着たくなってしまうセンス。私が思い浮かべるのは、サンタモニカの風景やベニスビーチです。

キャメロン・ディアスやリンジー・ローハン、ニコール・リッチー、有名スタイリストのレイチェル・ゾーが創り出すスタイリング……。

そして、大好きなラルフローレンの上品カジュアルやブルース・ウェーバーが撮るアバクロンビー &フィッチの広告の世界観など。それらすべてが、LA的コーディネートのイメージソース！

1. 写真集 (左から)「ROXY」、「QUICK SILVER」、パメラ・ハンソンの「Girls」
2. デニムパンツ (上から) アバクロンビー&フィッチ、ミハラヤスヒロ、カリアング
3. シャツ (左から) Lee×Cher、キットソン、バナーバレット
4. ロングスカート インドで購入
5. サンダル UGG

レオパード柄のインパクトジャケットは上質さを演出してくれる主役的アイコン。光るバッグや、ビビッドな靴で華やかさを添えて。

How to define and refine Your personal style

シャツinふんわりスカートはミラノスタイルの定番。シルクサテン素材などの光沢で、より大人っぽく。ボリューム感のあるジュエリーがラグジュアリーなアクセント。

“Modern & Elegance in Milan”

私にとってミラノは、女性が常に“女性”であることを感じられる街。
男性が女性の美しさをストレートに喜ぶような、ある意味わかりやすいおしゃれが息づく場所。
訪れるたびに、コンサバティブでアーティスティックなファッションセンスを感じます。
ブランドでいえば、ドルチェ&ガッバーナやプラダ、ミュウミュウ、グッチ、エミリオ・プッチなどの王道スタイル。色やライン、肌の見せ方などから、今のモードを感じさせ、どこかに女性らしさを必ず潜ませている。パーティや、ちょっぴりおしゃれをしてお出かけ、というときには、いつもミラノスタイルをイメージします。

TASAKI

「TASAKI」のジュエリー、「Chloe」のレオパード柄ショートジャケット、「イラン イラン」のシフォンワンピース。

Emporio Armani

すべて「Emporio Armani」でコーディネート。武道館で行われたアルマーニのパーティにて。

CLASS roberto cavalli

「クラスロベルトカヴァリ」のトップスとボトム。夏の定番、白パンツにプリント柄を合わせて。

Emilio Pucci

「Emilio Pucci」のワンピース、「イランイラン」のシルクサテンクラッチバッグ、「ジュゼッペ ザノッティ」のサンダル。

LANVIN

「LANVIN」のドレス、「ジュゼッペ ザノッティ」のサンダル。32歳の誕生日パーティにて。

Element 2

Time, Place, Occasion

TPOを大切にする

どんなに着飾っていても、その場所に合う装いでなければかすんでしまいます。例えば、仕事やパーティ、スポーツ観戦、デート……。さまざまなシチュエーションに合わせておしゃれを楽しめる人は素敵です。それには、おしゃれの引き出しをたくさん持つこと。

フォーマルやカジュアル、フェミニン、スタイリッシュなど印象が変わる服に合わせて、バッグやジュエリー、ストールなどの小物もたくさん揃える。季節や目的に合わせて、いろいろアレンジできると幅も広がり、印象をガラリと変えられて楽しめます。場所によって映える服があるし、どこにいても自然にたたずめる人は目を惹く。TPOに合わせて、自分らしくおしゃれを引き出せる人でいたいです。

トークショウ

バックステージ

ハワイ島
タイのビーチ!!
セドナのレッドロック

クルーズ
鎌倉山
ぷらり 2人旅

party

スワロフスキーParty

トミーヒルフィガーParty

ルイヴィトンParty

©Yosuke Koino

sports

おうちヨガ

ゴルフ♪

スポーツイベント

private style

私服スナップ

私服スナップ

夏まつり

レセプションパーティ

お散歩

木登り中…

Element 3

WHITE SHIRT

白シャツの似合う女性になる

おしゃれの永遠のベーシック、白シャツはシンプルだからこそ、着る人自身があらわれるアイテム。女性の持つ凛とした部分や強さ、優しさなどすべての魅力を表現できるアイテムでもあります。大人の女性として、自分に似合う白シャツを持つことは素敵に見せるための大事なポイント。

コットン素材で、ほんのりドルマンスリーブになったボリュームのあるシャツが、私がたどり着いた1枚。初対面の人に会うときや自分をよく見せたいとき、仕事を決めたいときなど、ここぞというときには白シャツを選びます。自分のいちばん好きな部分でもある鎖骨が見えるように襟を開いて、袖は少しまくり、髪型はアップで、大きめのピアスをつけ……“自分らしく”着こなすのが私のスタイル。

シルエットや素材など、自分に似合う永遠の1枚を見つけて。必ずあなたを引き立ててくれるから。

Element 4

JEWELRY

上がるジュエリーを欠かさない

ジュエリーは女性に自信をくれる大きな存在。ひとつつけるだけで、おしゃれに余裕が生まれます。洋服にクラス感や貫禄が出るだけでなく、コーディネートを盛り立ててくれ、胸元や手首、指先などをより美しくも見せてくれます。そして、大切なジュエリーには、初めて手にしたときの胸の高鳴りや思い出も刻まれているもの。記念日ごとに揃えるジュエリーや理想の女性になりたくて、少し背伸びしながらひとつひとつ集めてきたものたち、そして大切な人からのプレゼントなど。

身につけるだけで、気持ちや品格までも上げてくれるジュエリーは、女性をより輝かせてくれます。

1

2

左ページ写真　カルティエのリング&時計

トリニティリング　昔から欲しくてお店で見ていたけれど、「これはプレゼントされたい」と思い、ずっと買わずにいた3連リング。ついに33歳の誕生日に夫からプレゼントしてもらいました。夫の誕生日には、同じリングを私からプレゼントし、お揃いで持っている大切なもの。

2C モチーフリング　カルティエのパリ本店で見てひと目惚れして購入。毎日つけ過ぎて修理に出したほどお気に入り。

サントス ドゥモワゼル　カルティエのパリ本店で見つけて、半年悩んで決めた時計。サントスシリーズが大好きで、持っているコレクションの中でもっとも女性らしい大人の品格漂うジュエリー時計。

1. **ティファニーのフローラル キー ペンダント & ハリー・ウィンストンのミニクロス・ペンダント**　どちらもお仕事でいただいた大切なネックレス。肌になじんで、毎日つけたくなる私の定番ジュエリー。

2. **ハリー・ウィンストンのマイクロパヴェ&エタニティリング、パヴェリング**　夫にもらった婚約指輪と結婚指輪。婚約指輪は、誕生日にサプライズでもらい、生涯忘れられない記念の指輪に。結婚指輪は、毎日つけているパヴェリングと特別なときにつけるエタニティリング。

3. **AHKAH VIVIAN COUTURE**　ピアスは、私のママ的存在、AHKAH代表の福王寺朱美さんから誕生日にいただいた記念のもの。ネックレスはピアスとお揃いで、自分で購入したいちばんのお気に入り。デザイナー青柳龍之亮さんが丁寧に時間をかけて創ったという想いが込められたシリーズ。

4. **カルティエ ラニエール ブレスレット&リング**　テニスブレスが欲しくて、カルティエで見つけて半年悩み、パリ本店で購入したブレスレットとリング。パーティなど特別なときによくつけています。

3

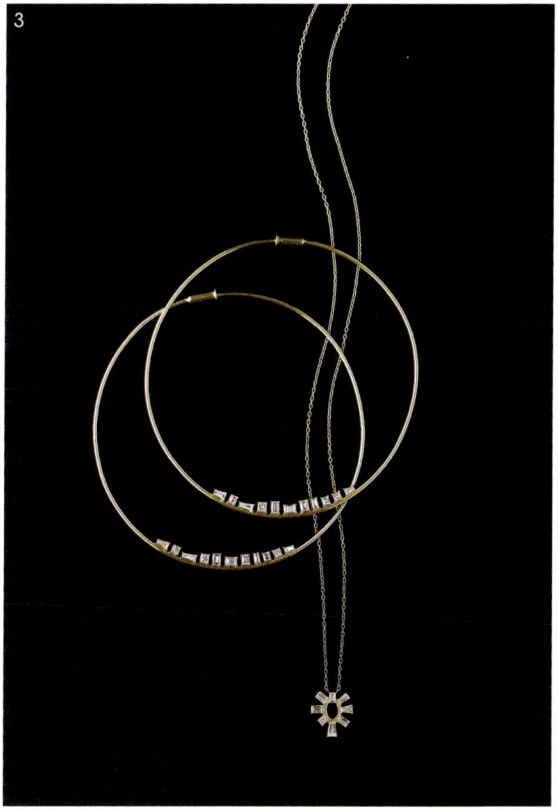

4

透け感のあるシフォンブラウス。肌が透ける感じがセクシーながら、シルエットの可愛さでトゥーマッチにならないバランスに。

Element 5

Feminine Details

モテる服を選ぶ

ショッピングをしていて服を購入するときの決め手は、モテる服かどうかです。着たときに、男性からも喜ばれて女性からも褒められたとしたら、それがモテ服。自分が好きな服と褒められる服は微妙に違うので、自分にとってのモテ服を知るのはとても大事なことです。

人にはそれぞれからだの長所と短所があるので、自分の体型のよさを引き立ててくれ、気になるところはきちんとカバーしてくれる服を選ぶこと。私の場合は、手足は細いけれど胴まわりは、しっかりしているので、鎖骨と腕、脚の3ポイントを見せたほうが細く見えます。つまり、ボートネックやドルマンスリーブなどが似合うボディなのです。そんな風に、自分のからだの見せ方をよく研究し、引き立て上手になること。さらに、お尻のラインも重要。サイズ感ひとつで、大きく見えたり垂れて見えたりするので、女性らしく、丸くて小さめなヒップラインに見えるよう、必ず試着して鏡で後ろ姿をチェックすること。また、肌触りの気持ちいい素材感や透ける素材、肌がチラッと見えるカットのものを選べば、それはまさにモテ服！　女性らしさを引き立たせる服を持つ。そして、そんな服が似合う女性になる心構えを持つことが大切です。

デートやパーティなどでは、相手が喜ぶという視点でスタイリングを心がけてみることも、コーディネートを考えるうえで楽しみを広げてくれます。

鎖骨がキレイに見える絶妙なVライン。胴まわりがしっかりしているので、これくらい深めのカッティングで、胸もとが少し見えるくらいが私にとってのベスト。

触りたくなるような素材の服は意識して選ぶようにしています。肌触りが心地よいと心もからだもリラックス。思わず触りたくなるでしょ？

1グラディエーター風サンダル（ビオンダ カスターナ） **2白ショートパンツ**（アンソール） **3白レースワンピース**（フェンディ） **4白パンツ**（アン ドゥムルメステール） **5プリントストール**（トーマスワイルド） **6ブラウス**（マーク ジェイコブス） **7コンパクトジャケット**（クロエ） **8チェーンバッグ**（シャネル）

SPRING

Element 6

Seasonal Basic Items

季節にごとの定番を持つ

春夏秋冬、それぞれの季節に合わせておしゃれを楽しむことは、私のファッションスタイルの基本。その季節に似合う色のトーンや素材感があります。ワードローブの中から、お気に入りのものたちを大公開！

AUTUMN

1レオパード柄スカーフ（ルイ・ヴィトン） **2トレンチコート**（DKNY） **3ニットカーディガン**（シャネル） **4チノパン**（WJKW） **5ブーツ**（クロエ） **6ノースリーブローゲージニット**（ステラ マッカートニー） **7キャメルレザーバッグ**（グッチ） **8ツイードスカート**（クロエ） **9ゴールドパンプス**（シャネル）

1ハット（左／ボルサリーノ、右／WJKW） **2プリントワンピース**（ダイアン フォン ファステンバーグ） **3カゴバッグ**（ケイトスペード） **4ターコイズリング&ブレスレット** **5ワンピース**（エミリオ・プッチ） **6サングラス**（上／トム フォード、下／バートン ペレイラ） **7ワンピース**（ミュウミュウ） **8サンダル**（左から／クロエ、ジュゼッペ ザノッティ、カプリ） **9ワンピース**（エミリオ・プッチ） **10カゴバッグ**（サルヴァトーレ・フェラガモ） **11白レースミニスカート**（ナイン）

SUMMER

WINTER

1ファー×レザーバッグ（ファロルニ・イタリア・レ・ボルセ） **2ハット**（CA4LA） **3ビジュー付きニットカーディガン**（sacai） **4ハット**（CA4LA） **5メタリックスキニーパンツ**（マウジー） **6ファーコート**（マルニ） **7ファー付きストール**（クロエ） **8ムートンブーツ**（UGG×ジミーチュウ） **9スエードブーツ**（ジバンシィ） **10ファーベスト**（ダブル スタンダード クロッシング） **11カシミアニット**（トーマス ワイルド）

Element 7

BAG

定番バッグを用途別に使いこなす

バッグはいつもあまり替えないという人が意外に多いかもしれませんが、コーディネートのバランスのよし悪しは、バッグ次第です。出かける前に必ず、靴を履き、バッグを持って、鏡で全身のコーディネートをチェック。バッグが違うだけで印象がガラリと変わります。料理でいえば、最後の味つけのような存在。コーディネートが引き締まったり、より可愛くなったり……。TPOに合わせてバッグを替えるだけでもおしゃれに見えるもの。パーティにはミニバッグ、お仕事にはデカバッグ、休日はトートバッグなど、素材や大きさを変えてアレンジしてみて。

紹介しているのは、ひとつずつ揃えた大切なバッグばかり。お気に入りの中には、何年も愛用していてかなりの年季ものも。何種類か持つことで、用途に合わせてコーディネートのバリエーションも豊かになります。

1

左ページ写真 **CHANEL&LANVIN** シャネルのチェーンバッグは女性の憧れ。カジュアルな服がぐっと大人っぽく、素敵におしゃれがグレードアップするのが魅力的。ランバンはエレガントなのに機能性も抜群。ちょっとお出かけするときやデートのときに、この2つからよく選んでしまいます。このサイズはおすすめの逸品。

1. **BOTTEGA VENETA、ZARA&KOTUR** パーティやディナーにはクラッチバッグがマスト。ロングドレスやミニ丈ワンピなど、おしゃれしたときにちょうどいいバランスで持てるのは、財布と携帯、グロスだけが入るサイズ感。黒レザーは秋冬のパーティに、白は夏のパーティやディナー、カジュアルなリゾートワンピにもOK。シルクのピンクベージュは、フォーマルなスタイル用。
2. **HERMÈS** 大人になったらいつか持ちたいと思っていたバーキン。どれも、そのときそのお店で出合えたのが縁。左／3年ほど前にフランスのビアリッツで見つけた35㎝のオフホワイト。持つと存在感があり、みんなに褒められます。右／ふらりと寄ったお店で見つけてひと目惚れ。25㎝という使いやすいサイズ感と、ブーゲンビリアの鮮やかな色のバランスで、インパクトを持たせてくれる私の一生ものバッグ。
3. **YVES SAINT LAUREN** このシリーズのバッグは、パソコンがすっぽり入るので、お仕事バッグで大活躍。実用的でありながらも、イヴ・サンローランならではの存在感で、スタイリッシュに仕上げてくれます。
4. **BOTTEGA VENETA、BALENCIAGA&LOUIS VUITTON** 3大ビッグバッグは、ボッテガ・ヴェネタ、バレンシアガ、ルイ・ヴィトン。小旅行や、ジムに行くときなど大荷物のときにフル稼働。レザーのデカバッグは、何年も持つことができて、使えば使うほど味が出てくるので、これからも育てていきたい私の相棒です。ルイ・ヴィトンはハードケース代わりに、スーツやドレスなどシワにしたくないものを入れるときにも活躍。
5. **CELINE&FENDI** きちんとした印象や女性らしさを効かせたいときに、やわらかいレザーと上品なフォルムでエレガントに見せてくれるのがこの2点。これくらいの形とサイズが普段使いにはいちばん活躍するので、いくつか持っています。ラゲージシリーズの歴代ごとに使いこなしていて、今の自分に合うのはこの2点。

2

3

4

5

記憶に残る香りを持つ

香りは、いつかの思い出や気持ちが瞬時によみがえるほど、人の記憶に残るものです。昔は、香水のきつい香りが苦手で、ほとんどつけることがなかったけれど、自分に合う好きな香りを見つけてからはよくつけるようになりました。

香水は、その日のコーディネートと気分を完成させてくれる存在。スタイリッシュに見せたい、女性らしく振る舞いたい、フレッシュな気分になりたい、エキゾチックに見せたいなど、醸し出したい雰囲気や女性像を演出してくれます。だから、好きな香りはもちろん、季節や気分、シチュエーションに合わせて替えられるようにいろいろ揃えています。春はフローラル系、夏はすっきりシトラス系、秋冬は少しシックでモダンなオリエンタル系。昼ならフレッシュで爽やかな香り、パーティなど夜にはエレガントで魅惑的な女性らしい香りなど、気分に合わせてセレクト。ときには2種類を混ぜて使うことも。洋服を替えるように、お気に入りの香りを使い分けて楽しめたら素敵です。

Element 8

FRAGRANCE

Chloé　お風呂上がりの石鹸のような爽やかな香り。初めて出合ったときからファンで、愛用してかれこれボトル3個目くらい。日常使いにおすすめ。

CHANEL　『N°5』は、世界中で愛されていて多くの女性たちがつけているけれど、「これはシャネルの5番」ということがわからないといわれているくらい、その人に馴染んでしまう香り。自分の香りになる1本として、一生のうちに1個は持っておきたい香水。私は特に春先につけたくなります。「ガーデニア」はお花の香りで、爽やかながらスパイシーさもあり、ひとクセある感じ。夜のお出かけにつけることが多いです。

Dior　『Miss Dior Chérie』は、フレッシュで女性らしい香り。カジュアルな気分のときに。

LES PARFUMS DE ROSINE　バラの香り専門の香水メーカーで、ローズ系の中でいちばん好きな香り。気分を爽やかにしたい春夏に。甘過ぎないローズ感がお気に入り。

Santa Maria Novella　イタリアの歴史ある香水で、奥が深くミステリアスな香り。少し男性っぽく、凛としたい気分のときやいつもの自分に何かつけ加えたいとき、ちょっと背伸びしたいときなどにつけます。

Element 9

MY BEST HEELS

ヒールは9cm！

おしゃれしたいときはヒールパンプスが欠かせません！ ベストな高さは、ヒップも脚もキレイに見せてくれる9cm。高いと思うかもしれませんが、自分の足に合った靴を選べば大丈夫。むしろ9cmヒールのほうが美しく歩けます。

歩く音は、女性の美しさを決める要素のひとつ。コツコツコツ……とその音が軽快でリズミカルなほど、美しく歩けている証拠です。その音が大好きで、今や9cmコレクションは数知れず。また、全身のバランスがよく見えるのも魅力。パンツもミニスカートもデニムも9cmヒールと合わせれば、断然コーディネートが引き締まります！ 私の場合、9cm以下だと全身で見たときになんだか少しもの足りず、9cm以上だと足が疲れて歩けなくなるので、結局選ぶのは9cmヒール。「おしゃれは足元から」だから、靴の選び方、靴を履いたときの歩き方にはこだわりたいものです。

1	2	3
4	5	6
7	8	9

1. イヴ・サンローラン
2. クリスチャン ルブタン
3. クリスチャン ルブタン
4. ジミー・チュウ
5. プラダ
6. ジュゼッペ ザノッティ
7. イヴ・サンローラン
8. イヴ・サンローラン
9. プラダ

Element 10

LINGERIE

見えないおしゃれを楽しむ

モデルという仕事柄、撮影のときの下着はベージュが定番。透けないし優秀だけれど、やっぱりどこか寂しくなるもの。だからこそ、オフのときは思いきり女性らしい色やレースのデザインを楽しみたくなります。見えないけれど、肌でおしゃれを感じることは、セクシーで官能的な女性になるために必要な要素。下着の色で性格や好みがわかるというくらい女性に影響を与えるものなので、上手に楽しんだほうが勝ち！ 純粋で清楚な純白のホワイト、引き締まり自立したイメージのブラック、ラブリーなピンクに情熱的なレッド……。そのランジェリーは胸をキレイに見せてくれる？ つけたときに気持ちは上がる？ 男性が喜んでくれる？ そんな、女心を忘れない下着選びを常に心がけたいものです。肌に直接触れるものだからこそ、何よりも女性らしさのマインドを引き出してくれる、隠れたおしゃれのエッセンス。カジュアルな服を着る日ほど、セクシーな下着をつけてみて！

メイクで自分を演出する

NATURAL MAKE-UP

SKIN

肌色のリキッドファンデーションを手の平になじませ、おでこや鼻筋、頬、アゴなどに塗ります。次に、肌色と濃いブラウンの2色のリキッドファンデーションを指先で混ぜて、おでこの生え際とこめかみ、ほお骨のフェイスラインに塗ります。目のまわりなどの影部分やおでこの中心、鼻筋、小鼻まわり、口まわり、アゴの中心は明るめのコンシーラーをのせて顔に立体感を作ります。濃いめのフェイスパウダーはブラシで顔全体を磨くようにのせてファンデーションを包み込み、ツヤ感を生かして。パール入りのフェイスパウダーをブラシで目のまわりと鼻筋にのせます。これでベースの完成です。

EYE

赤みのあるブラウンシャドウをブラシでアイホール全体にふわっとのせて自然な陰影を出します。ブラウンのペンシルアイライナーで上まぶたの形に沿ってアイラインを引き、目尻から1mm外まで描きます。目頭にパーリーなライトベージュシャドウをのせて目に輝きを与え、仕上げに黒のボリュームアップマスカラを上下に軽めに塗ります。下まぶたは、目尻側1/3にブラウンのペンシルアイライナーを引き、目頭側2/3には、ホワイトペンシルアイライナーで軽くラインをのせて。最後に、白パールのアイシャドウを目頭と眉山下にのせ目元を引き立たせます。

LIP

グロスタイプのコーラルピンクリップをラフに塗れば、ナチュラルメイクのできあがり。

CHEEK

コーラルピンクをフェイスラインから頬骨に（下→上に）ふわっとのせます。

シアー感&ツヤ感を生かして“素肌っぽい”を表現

メイクって楽しい。メイクはファッションや気分に合わせて、いろいろな“私”に変われるもの。中でも、いちばん機会の多い「ナチュラル」と「パーティ」の2つのメイクをご紹介します。

ナチュラルメイクで、もっとも大切にしているのは“素肌感”と“凹凸感”。メイクしていない素肌のようで、実はちゃんとメイクされているというのがポイント。そのときに大切にしたいのが、ベース。リキッドファンデーションなら手になじませて使えるので、パパッと簡単に仕上がるのでおすすめです。

自分の肌色に近い色とそれよりダークな色を少量ずつ半々で混ぜて顔のまわりにのせます。さらに肌色のみを顔の中心に軽くのせ、小顔効果を狙います。パーツメイクも肌を生かすシアーなナチュラルカラーを選択。目元は赤みのあるブラウンシャドウで自然な陰影をつけ、チークはコーラルピンクをフェイスラインから頬骨に向かってのせて引き締めます。リップもコーラル系のグロスをラフに塗るだけでOK。時間にすると10分ほど。全体的に透明感や艶感のあるコスメを選び、それを軽くのせてさりげなく凹凸感を出すだけで、よく「すっぴんなの？　キレイだね」と褒められるメイクの完成です。

メイクでコーディネートを完成させる

PARTY MAKE-UP

SKIN

ベースはクリームファンデーションを使用。ナチュラルメイクと同様の方法で塗っていきます。ポイントはクリームファンデーションを"ブラシ塗り"すること。ファンデーションがなじみやすく、メイク崩れもありません。これで、目まわりや小鼻まわりのカバーしたいところにはしっかり、そのほかは軽く、強弱をつけてナチュラル肌に。ルースパウダーもナチュラルメイク同様にブラシで全体にササッとのせて。

CHEEK

ブロンザーを大きめのブラシでフェイスライン→内側に向かってやや縦長にのせます。

LIP

クリームタイプの発色のいいピンクベージュのリップをブラシで丁寧に描きます。

EYE

グレイッシュブラウンのアイシャドウを、アイホールの半分の幅だけにのせます。目尻は2〜3mm外まで引いておいて。その上から、ゴールドブラウンのアイシャドウをアイホール全体にのせ、ゴールドのアイシャドウをアイホール全体に重ねます。3つのアイシャドウをグラデーションっぽくのせるのがポイント。下はダークブラウンのペンシルアイライナーをインサイドに引き、上のグレイッシュブラウンのシャドウラインとくっつけます。下の目頭から目の中央まではゴールドのアイシャドウを細く引き、目尻までのもう半分はブラウンゴールドのアイシャドウをライン的に細く引いて。黒のリキッドアイライナーで上のまつげ際のみ引き締めて、黒のボリュームアップマスカラを上下にたっぷりのせれば完成です。

モード感を感じさせる "アジアン・ビューティ"

このメイクは、以前にヘア&メイクアップアーティストの佐藤エイコさんから教えていただいた私の定番パーティメイク。友達と夜にお出かけするときなどにも上品&クールに演出できるので気に入っています。ポイントは横長に少し太めに引いたアイライン。グレイッシュブラウンのアイシャドウをライン的に引き、黒のリキッドライナーで仕上げます。目のフレームが横長になったぶん、眉も眉尻を描き足して横長感を強調。チークはブロンザーをフェイスラインにのせて引き締めつつ、内側に向かってやや縦長に入れることでシャープ感を出します。目元の強さを生かすため、リップは優しいピンクベージュを使用。きちんとブラシで輪郭を取りながら塗ることで、"お出かけ感"がアップ。シンプルな色使いでライン感を強調したクールメイクを試してみてください。今回はゴールド系ですが、ブルー系、グリーン系などパール感のあるものを選び、濃い色から薄い色へグラデーションでのせていくのがポイント。仕上げに目元やデコルテにもパールパウダーをのせて明るく引き立たせます。口元はどんな色のアイメイクにもマッチするピンクベージュリップが正解。ブラシで丁寧に塗って。

SHIHO's Hair History

髪型がスタイルを創り上げる

おしゃれすることにおいて、髪はメイク同様、スタイルを完成させるとても重要なポイント。カットやカラー、アレンジなど、ヘア次第で似合う服が変わるくらい、世界観やイメージを創り上げてくれるものです。髪形を決めるときは、仕事柄、まず来シーズンのファッショントレンドをリサーチします。それからトレンドの髪形をチェック。主流はロング? セミ？ショート？バングスは？どんなヘアアレンジ? トレンドの髪形は、どんな流行の服にも似合います。自分自身にマンネリを感じていたり、しっくりきていないときは、ヘアがキマっていないことが多いものです。カットやトリートメントなどのケアを怠ると、おしゃれも決まりません。上品なスタイルを目指せば目指すほど、髪形の重要性も増します。

また、思い悩んだときや行き詰まったときに、私は髪形を変えるようにしています。それは髪形で気持ちが大きく変わるから。これまでにガラリとヘアチェンジをしたタイミングは、何か自分を変えたいと思っているときがほとんど。何らかの転機といつもリンクしています。

女性にとって「髪は命」。髪形ひとつで見え方、見せ方、雰囲気までも変えてくれるので、ファッションを楽しむのと同じくらい、ヘアスタイルは大切なものです。

1.
17歳：デビュー当時のストレートロング。幼少期にずっとショートカットだったことや従姉妹のロングヘアに憧れ、真似していた影響もあり、学生時代はずっとロングヘア。

2.
18歳：モデルを始めて間もなく、ヘアスタイリストさんにカットしてもらったのが、フロントにレイヤーを入れて髪に動きを出すスタイル。

3.
19歳：モデルとしてのスランプに陥り、自分を変えたくて思い切ってショートヘアに。イメージチェンジに成功し、ティーン誌から大人の雑誌へ仕事の幅が広がった。

4.
22歳：ショートヘアが板につき、仕事が順調にいっていた頃。CM「アロエヨーグルト」に出演。ビュートリアムの川畑タケルさんに出会い、「SHIHOボブ」と話題に。

5.
23歳：ショートからショートボブへ。アイロンで巻いてアレンジしたスタイル。メイクでもぐっと大人っぽく。カジュアルもシックな服も似合うヘアスタイル。

6.
25歳：雑誌の企画でウルフヘアにチェンジ。ツイギーの松浦美穂さんにカットしてもらった。久々のショートヘアが新鮮で、いろんな人にヘアスタイルをよく褒められた。

7・8.
26歳：ウルフカットにしてから伸びたアレンジを楽しんでいた頃。『model;shiho』を出版。寝癖がそのまま残ったような楽ちんスタイルが気に入っていた。

9・10・11.
28歳：レイヤーを入れ、クセを生かしたアレンジをしていたニュアンスセミロング時代。アイロンで巻くことが多く、大人っぽく女性らしいスタイルに。いちばん好きなヘアスタイル。

12・13.
29歳：ストレートアイロンでアレンジすればスタイリッシュな印象に。レイヤーを少なくして、そのまま伸ばしていた頃。モデル時代でもっとも髪が長かった頃。

14.
30歳：少し前髪を切って、気分をチェンジ。アップにすれば、爽やかイメージに。セミロングが定番ヘアになって、撮影の合間に毛先をカットしてもらうことが多かった。

15.
31歳：カラーリングをやや控えめにして、大人っぽく。連日の撮影で髪がよく傷み、サロンでトリートメントやヘッドスパなどこまめにケアをしていた。

16.
32歳：前髪を伸ばして、ワンレングスのセミロングに。雑誌『marisol』のカバーをつとめていた頃。ストレートやアップ、カールといろいろアレンジできる便利ヘア。

1

straight long hair

CHECK MATE 1994年7月号（講談社）

2

layered style

装苑1996年6月号（文化出版）

3

short hair

PrinvateLabel 1999 Autumn collection
カタログより

4

SHIHO bob

本人私物

5

bob hair

©YOKONAMI OSAMU

6

wolf cut

©NAOKI（face to face）

7

arranged wolf cut 1

本人私物

8

arranged wolf cut 2

©SHIDARA SHIGEO

9

semi long hair 1

©SHIDARA SHIGEO

10

semi long hair 2

©SHIDARA SHIGEO

11

semi long hair 3

©Ai Kariya

12

long hair 1

©TAKASHI KUMAGAI

13

long hair 2

©TAKASHI KUMAGAI

14

semi long hair 4

©HIDEKAZU MAIYAMA

15

color changed

©Kazuyoshi Shimomura

16

one length style

本人私物

MIND

Shiho's principle 3

人はあるがままの姿が美しい
自然と調和し、感じるままに自分らしく
自然と愛の中に存在する美を追求して

どんなときも自分らしくいられる人は素敵。
それは、まわりに左右されず、
本来の自分を受け入れ、自然体でいること。
太陽や月、星などは、いつ見ても本当に神秘的で美しい。
自然と触れ合うと、悩んでいることや
気にしていることが小さなことに思えてくる。
慌ただしさの中にいると、自分を見失ってしまうような
感覚に陥ります。そんなときこそ、自然に触れる時間を持つ。
自然は不思議な宇宙の摂理に従って、秩序正しく
動いています。本来、人間も自然の一部であるなら、
そのルールを知り、リズムに寄り添って生きることが大切。
自然と触れ合うことで、気づかされることがあるから。
その中にこそ、美しく生きるためのヒントがある。

*Having peace of mind is another key
in achieving beauty inside and out.
Peace of mind gives you much needed space
to enable you to see the beauty of everything
around you. The way you view the world
depends on your inner peace.*

NATURE BEAUTY

自然の中に美のヒントがある

美しく生きるとは、自然の流れに逆らわないこと。
大いなる大地を照らす太陽と月を味方につけて。
そこには美の秘密が潜んでいるから。

Appreciate the Power of the Sun

日光浴は、パワーチャージ

朝陽のパワーはすごい！　特に日の出は、言葉を失ってしまうほど神秘的で美しく、信じられない輝きを放ちます。朝の光を浴びるだけで、あっという間に目覚め、1日中活気にあふれます。それは、体内時計が調整され、リズムある生活が送れるだけでなく、夜の眠りがより深くなるから。さらに、ドーパミン（喜び、快楽）やノルアドレナリン（恐怖心、不安）など、神経伝達物質をコントロールする脳内ホルモン「セロトニン」の分泌が促され、ストレスを解消してくれます。毎朝、目覚めたらすぐ朝陽に向かって、太陽や大地のエネルギーをからだの隅々に行き渡らせるようにイメージしながら深呼吸します。そうすることで、からだ中が温まり、底からみなぎるパワーを感じることができます。

Tree Breath

ツリー呼吸で“気”を整える

人のからだから生み出される生命のエネルギーは、
一般に“気”と呼ばれます。健康の基本である呼吸は気を利用して、
脳細胞を振動、脳を膨張、収縮し、脳全体を運動させ、生命力に満ちた
宇宙の生命エネルギーを供給します。それは、呼吸によって体内の気や
血液の循環を円滑にし、脳に十分な酸素を供給するから。
呼吸により気をコントロールして脳を活性化させよう！

1.

裸足になって、足を肩幅に開き、足の指を開いて、足の裏全体を地面につけるように立つ。

2.

ヒザを少し曲げて前屈し、口からゆっくりと息を吐ききる。からだの力は抜いて、お腹とお尻は引き上げる。

3.

頭はダランと力を抜き、足を意識して、大きな木が根から水分を吸い上げるように、足の裏から大地のエネルギーを吸い上げるイメージで鼻からゆっくりと息を吸う。

4.

そのまま息を吸いながら、手を足、ヒザ、股の順に沿わせて、ゆっくりとからだを起こしていく。

5・6.

おへそ（丹田）を引き上げ、吸い上げたエネルギーがもれないようにお尻を締め、背骨の中にエネルギーを通すようなイメージでそのままゆっくりと息を吸い続ける。

7.

ゆっくりとからだを起こしながら、両手を頭の上まで上げ、首の後ろから頭頂（百会）へ向かって吸い上げたら息を止め、手の平は太陽に向かって軽く伸ばす。

8.

息を止めたまま、吸い上げたエネルギーを鼻、口、喉、胸を通し、お腹にためるイメージを持つ。

9.

口からゆっくりと息を吐きながら、両手を開いて手を下ろす。

10.

足の裏に向かうイメージで息を吐ききり、リラックスしながら呼吸を整える。

1～10の動きを2分くらいかけて行うのが理想。木になったような感覚で大地のエネルギーと太陽のエネルギーを感じながら、呼吸でからだ中に気を巡らせるイメージを持って、3回くり返します。

The Gift of Inner Peace

心を静める時間

ヨガを続けるうちにたどり着いた瞑想の習慣。背筋を伸ばして座り、ただ目をつぶるだけ。最初は、心がざわざわ、そわそわするけれど、瞑想は自分を取り巻くすべてから解放してくれるものです。スケジュールや肩書き、人間関係、過去、未来、執着、嫉妬、思い、考えといった雑念を追い払い、すべてを手放してみる。悩みの種って大体“執着”からくるもの。頭であれこれ考えても答えは出なくて、瞑想して日常の雑事を忘れてみることで、何にもとらわれない自分になれて案外答えが出たりします。瞑想には、集中力や洞察力、智恵、潜在能力の向上をはじめ、さまざまな効果があります。心を静めて、無欲、無心になる。その感覚がすごく心地いい。目を開いた瞬間、今ここにいることへの感謝の気持ちを再確認できるから。

Try Meditation

瞑想をしてみる

瞑想を始めるときは、まず、きちんと座ることが大事。安定していないと、
途中でそわそわして集中できなくなってしまいます。尾てい骨を床につけて、姿勢を正し、
背中をまっすぐ伸ばして楽に座ります。目をつぶり、ゆっくりとした呼吸をくり返しながら心を観察。
雑念が消えないようなら、呼吸に意識を向けて集中して。最初は短い時間でOK。
瞑想を習慣にすることで、いろいろな執着がなくなり、心もからだもリラックスしやすくなります。
頭がクリアになれば、ひらめきやすく、感覚も研ぎ澄まされます。

shiho picks healing items

1

2

3

4

1. **ハーモニーベル『インナーエンジェル』**（RFS研究所） 音叉の周波数が波動を整えてくれる。
2. **LUXEのキャンドル** チャクラに効果的なフィトセラピーキャンドル。
3. **『ALPHA』**（プレム・プロモーション） クリスタルボウルの心地よい音色が心に響くCD。
4. **『スワミ・シヴァナンダの瞑想をきわめる』**（産調出版刊） 瞑想を習慣にする方法を紹介した本。
5. **クッション** インド土産でもらったシルクサテンのクッション。座禅するときに、お尻や膝の下に敷くと楽ちん。
6. **ストール** インドで購入したストールは、瞑想時に肩や膝にかけて使用。
7. **『CDつき ヒマラヤ聖者の知恵があふれる瞑想法』**（主婦の友社刊） 世界で2名しかいないヨグマタ、相川圭子さんの本。
8. **『ヨーガとこころの科学』**（東宣出版刊） 世界中の人にヨガを教え伝えたスワミ・シヴァナンダが「心」について解説した本。
9. **『イン・マントラ』**（NRT） ヨガの修行に使われるマントラにメロディをつけたCD。
10. **『Healing』**（Open Sky Music） ヨガの先生に薦められて購入した癒し系音楽。

5

6

7

8

9

10

Moonlight Awakening

月光浴は、内面の浄化

月には、とっても不思議な力があります。ヨガを習慣にしてから、生理周期が月の満ち欠けと関係するようになり、月の神秘性に興味を持ち始めました。

月のサイクルは約28日で、女性の月経や肌の再生のサイクルと同じ。"満月"には力が満ちてきたり、"新月"には心が穏やかになったりと、感情面でも影響を受けやすくなります。月の神秘的な光は女性の生態リズムに同調し、バランスを整え、美しさへと導いてくれます。月の光が満ち足りる満月の夜に、私はいつも月光浴をします。月の波動には、心やからだのいらないものをふるい落としてくれる"浄化パワー"があるそう。月をじっと見つめると気持ちが落ち着き、心がどんどん静まっていきます。おかげで月光浴をした翌日は、体調も気分もとてもいいのです。さらに五感、直感、霊感の感性を研ぎ澄ます力を秘めているともいわれます。月の磁波を受け、皮膚呼吸することによって細胞が活性化するとともに、体内からの汚れた気を排除してくれます。

The Phases of the Moon

月のリズム

新月　引力は強くなりつつも満月と作用は逆になり、デトックスや浄化作用が働きます。物事を新しく始めるのにいい時期です。

上弦　からだが何でも吸収しやすく、筋力トレーニングに効果的で体質改善には最適な時期です。むくみやすく、ダイエットには不向き。

満月　月の引力がもっとも強く、出生率が高くなるといわれています。水分や栄養素など何でも吸収しやすいため、もっとも太りやすい日。

下弦　からだは発汗や解毒作用などが高まり、不要なものを放出しやすくなるので、肌のケアやダイエットに効果的な時期です。

Feel Nature

Hawaii

ダイアモンドヘッドから登る朝陽。朝陽は元気を与えてくれる。

ハワイ島の夕陽。広々と広がる空と海に沈む夕陽を眺める最高の時間。

オアフ島の聖地ロイヤル・バースストーン（クカニロコ）。

ノースの草原。澄み渡った空に緑の草原。ハワイは癒しの場所。

Arizona

仕事で訪れたセドナ。まったく疲れを感じず、自然の癒しパワーを感じた。

アリゾナ州・セドナは、世界有数のパワースポットのひとつ。

山々に夕陽が反射して赤く染まり、表情を変えていく空。

夕陽が沈み、右側から豪雨が。自然の驚異を感じた瞬間。

グランド・キャニオン。コロラド川の浸食作用により削り出された地形。

アリゾナ州とユタ州の境にあるグランドサークル ザ・ウェイブ。美しさは圧巻。

アルバカーキのオールドタウンでのやわらかい西日。

アリゾナ州にある直径1.2kmの大隕石孔メテオ・クレーター。

Portugal

ポルトガルの世界遺産の街、シントラのペーナ宮殿。

ナザレビーチ。白い砂浜に恵まれ、景色がキレイ。

ユーラシア大陸最西端のロカ岬の草原。

古城ホテル「ポウサーダ」に咲く大きなラベンダー。

自然に触れるということ

自然が作り出す景色は、何にも代えがたい美しさ。ただそこにいるだけで癒され、パワーをもらえます。これまでに訪れた、私なりのパワースポットやエネルギーをもらった景色をここに紹介します。

India

アグーラにある世界遺産タージ・マハル。シンメトリーの空間は、驚くほど"気"がよい。

ガンジス川沿いに立つ建物。とても古く、歴史を感じる。

ガンジス川「バラナシ」の早朝。とても神秘的な空気に包まれていた。

ジャイプルにあるハワーマハル（風の宮殿）。

Japan

神々の郷・高千穂。神秘的な空気が漂い、夜神楽など見どころが多い。

お台場を散歩。海に夕陽が反射し、光の筋が美しい。

神奈川県の走水神社。女性らしさを強め、愛のパワースポットとしても人気。

富士山頂での景色。山から見下ろす風景はいつ見ても最高！

冬の箱根温泉。空気が澄み切って気持ちのいい空間。

箱根の山道を散歩。川の音に癒されて。自然が奏でる音は素晴らしい。

屋久島の大川の滝。日本の滝百選に選定。圧倒的なスケールに感動。

四国・高知のビーチ。ゆっくりとした波の音は、いつ聴いても癒される。

千葉の竹やぶにてタケノコ狩り。自然の中での作業はまったく疲れを感じない。

京都の嵐山。春は桜、秋は紅葉が美しい。京都の代表的な観光地。

東京の朝陽。身近にも素晴らしい景色が広がっていることに感動。

滋賀県大津市にある日吉大社。心があらわれる神聖な場所。

LOVE BEAUTY

無条件で人を美しくするもの
LOVEはすべてを解決する

自分を愛し、すべてを慈しむ愛を持てたら
その人は真に輝いているはず。
目に見えるものではなく、心で感じる美しさを目指して。

STEP 1 恋してキレイになる

Love makes you beautiful

好きな人ができると、胸がキュンキュンと弾んだり、言葉にできないほどの高鳴りを感じたり、何より毎日が楽しくなります。鏡を見る回数がいつもより増えて、自分磨きにも力が入ります。以前、91歳のとても元気な友人のおじいさまにお会いしたのですが、「長生きの秘訣は何ですか?」とたずねると、なんと「恋をすること」と即答。人に恋するだけでなく、趣味や物に対する“恋”も効果的だそう。それくらい、恋は人を生き生きとさせてくれる。「最近、恋していない」という人を見かけると、恋愛体質だった私は、もったいない！と思ってしまいます。

10代後半から20代にかけては、自分に無いものを持っている人にすごく惹かれました。意識していたわけではないけれど、そこに魅力を感じやすかったようです。あるいは、人としてもっと成長したいという気持ちがあったのかもしれません。尊敬する男性が思い描く、素敵な女性になりたくて、いつも頑張っていました。

20代前後のとき、ことあるごとに「いい女になれよ」といい続けてくれた人がいて、そのおかげでいつも心のどこかで「いい女になりたい」と意識する癖がつきました。ファッションセンスなどなかった私に、洋服や靴、サングラスなどをプレゼントしてくれ、彼好みの女性になるため、格好よく着こなしたいと大人の女性を目指して頑張っていたこともあります。お酒を楽しむことも好きな人から教わったことだし、掃除が苦手だったのに、片づけ方を教わって掃除上手になれたのも恋のパワー。男女関係において、何より信頼関係が大切だと知ったのも恋愛をとおしてでした。そんな風に、恋愛をするたびに人として、ひとりの女性としてとても成長してこられました。

人は、出会いによって変われるものだけれど、特に恋愛では女性的な部分をすごく引き出してもらえると思います。どんな恋愛であっても、誰かが好き！という感情を大事にすれば、女性は美しくなれるもの。相思相愛であればなおさら、たとえ片想いでうまくいっていなくても、自身を振り返り、よさや悪さを再確認でき、本当に大切なものは何かを見つめ直す機会になるから。だから、恋はたくさんするほど、女性として磨かれます。

STEP 2 恋を始めるためのマイルール

My rule to make love begin

もし、今「恋をしていない」という人は、もしかしたら頭で恋をしようとしているのではないでしょうか？　頭で考え過ぎると、心で感じにくくなってしまいます。人間は動物だから、頭で好きかどうかを判断するよりも、“動物的本能”や“五感”で感じたほうが、恋に落ちやすい。目と目を合わせ、相手の声に耳を傾け、体臭を感じ、触れたときの感覚を大切にする。相手と触れ合ったとき、心がどう反応するかで本当に好きかどうかがわかります。物理的な距離もまた、気持ちのバロメーター。触れるためには近づくことが必要だし、その距離感がお互いにとって心地いいものであれば、恋は自然と始まると思います。

私は、好きな人ができたらとにかく距離を縮めることに全力を尽くします。メールでも電話でもいいから話すことから始め、2人で会う機会を作ります。食事に行けば相手の好みもわかるし、カウンター席なら肩を寄せ合って座れ、相手と触れ合えるチャンスです。おいしい食事を楽しみながらの会話なら、リラックスして心がオープンに。また、相手が放つ“気”が心地いいと感じられるか、互いの“気”が合うかどうかも大切。目を見て話すことで、相手の気持ちを感じるやりとりが、恋の楽しさのひとつでもあります。相手を観察するよりもまず、感じ取ること。お互い夢中になって話していたら、恋はもう始まっているはずです。

My rule1 ♥ 恋を始めるには、五感をフル回転

見る

相手の目を見れば、その人がどんな人かわかるはず。目と目が通じれば、心は必ず通じ合う。話すときはできるだけ相手の目を見て話すように心がけて。

聞く

相手の声に耳を傾け、感じてみる。声のトーン、話し方、言葉づかい……。伝えるよりも大事なのは聞くこと。相手をよく知るためにも、聞き上手は恋愛上手。

嗅ぐ

相手の好きな香りに敏感であることはもちろんですが、動物的本能を働かせ、彼自身が放つ体臭を好ましく感じるかどうかで相性がわかります。

話す／食す

食は、相手の生活スタイルを感じる大きな要素。会話やキスもまた、相手を知るための大切なコミュニケーションツールです。話す言葉や会話も大切に選びたい。

触れる／感じる

触れる、なでる、抱きしめるなど、ボディタッチで相手を感じることは、心に響く行為。細胞からの喜びを感じて。お互いが放つ気や心づかいを感じることも。

My rule2♥ 恋愛の3大法則　嬉しい！楽しい！気持ちいい！

恋愛においてもっとも大切にしていることは、3つの感情。嬉しい！　楽しい！　気持ちいい！　この感情をお互いが共有できれば絶対にうまくいくし、逆をいえば、これがなくなってしまうとケンカやいい合いも多くなり、関係に終わりが近づくサイン。

相手と会っているとき、電話で話しているとき、メールしているとき……など、この3つの感情を大切にするようにしています。相手の求めているものは何か、どういう人なのか、何をしたら嬉しいのか、何を楽しいと思う人なのか。そこを知っていく過程が、人間関係の楽しいところです。相手を好きという感情を楽しみつつ、お互いがいつも嬉しく、楽しく、気持ちいい存在になること。そう思わせてくれて、感じさせてあげたいと思える人になれることが理想の恋愛の形。

それは仕事においても同じです。相手が求めていることに応えることがいちばん大切。相手が喜べば、必ずまた求められます。相手にとってなくてはならない存在になることが、恋愛でも仕事でもモテる秘訣です。

My rule3♥ 恋を始める前に見極めて！いい男の見分け方

恋に落ちるその前に！　私流いい男の見分け方。それは相手のまわりの人に対する態度をよく見ることです。どんな親や友人を持ち、その人たちはもちろん、自分の友人や知人などすべての人たちへの対応を見ると、彼の人間性が垣間見えます。それは自分にもいえること。人を思いやる気持ちやどこでも誰に対しても優しく紳士的な人は素敵。自分がどうあるべきかも見直せます。

私事ですが、夫と出会ってよかったことのひとつに、お互いの友人を共有し合えるという恩恵がありました。私の友達は、男女含めて今では彼の大切な友人ですし、彼の友人も私にとってかけがえのない友人に。お互いの人を想う気持ちが似ていると人生観は必ず広がります。それは、お互いがうまくいく秘訣。大切だな、素敵だなと思う感覚を共有できることは、上手な恋愛をするうえで欠かせません。

STEP 3 みなさんからの恋愛に関する質問にお答えします！

Answering your love questions

1

「恋愛」と「美」においてこれだけは譲れない！という SHIHOさんの信念を教えてください。（yuki.／25歳）

「恋愛」は、信頼すること。
「美」は、年を重ねて、自分らしく深みのある美しさを追求すること。

2

今、結婚について考えることがあります。SHIHOさんが結婚で大切にしているもの、相手に求めるものは何ですか？（美香／28歳）

大切にしているのは、相手を信頼し、尊重する気持ち。相手に求めるのは、私たち家族を大切にしてくれること。

3

恋愛についての格言をお願いします!!（magic／28歳）

恋愛は成長できる！

4

彼に好きになってもらいたくて、メイクやファッションを勉強中です！でも彼が好きな女の子は、私とは少し系統が違うようで……。彼好みに変えたほうがいいのか、自分が好きな自分を貫いていいのか……。SHIHOちゃんならどうしますか？（ぴこたん／20歳）

自分の好みを貫きつつも、彼と会うときは、彼好みの女性に変えてみたりするかも。

5

私には2年間つき合っている彼がいます。いよいよ結婚かなと思うのですが、彼は自分から切り出す人ではないし、私自身も決断できなくて……。結婚に限らず、人生の中で、毎日の中で、常に自然な自分でいられるようにするにはどうしたらいいですか？（悠姫／31歳）

自分の気持ちに忠実に生きること。そのためにも、相手が結婚についてどう考えているのか、自分がどう考えているのか、まず話してみては？　結婚すると、夫婦で話し合いながら進んでいくことが増える。だからこそ、結婚前に話すことはとても大切。その第一歩だと思って話してみてね。

recommend love goods

左から／『**breaking hearts**』（祥伝社刊） CHARAさんの日記や詩、写真を掲載。『**WHO AM I？ WHAT AM I？**』（マガジンハウス刊） いろいろなことに悩んでいた29歳のときに出したフォトブック。『**LOVE？　愛ってなんだろう**』（マーブルトロン刊） ダライ・ラマが愛について語った本。『**もっと自分を愛してごらん**』（文藝春秋刊） ハッとする言葉が必ずあって心が落ち着きます。

上／『**ラブ・ソング・コレクション**』（ワーナーミュージック・ジャパン） ジョージ・ベンソンが歌う「The Greatest Love of All」は、私にとってのNo.1ラブソング。
下／『**エターナル・エディット・ピアフ**』（EMIミュージック・ジャパン） エディット・ピアフの愛の歌には心が震えます。まさに傑作！ 2枚組。38曲入り。

6

結婚してもよい関係を保つためには、
相手への思いやりが大切だと思うのですが、
SHIHOちゃんは旦那さまに対して
どんなことを心がけていますか？（都こんぶ／30歳）

**相手が何を求めているのか、
すぐに気がつける存在であろうと
心がけています。また、
夫はスポーツ選手なので、
試合前は食事面に特に
気をつけています。**

7

私には3年も一緒にいる彼がいるのですが、
いざ結婚するとなると急に怖くなってしまって……。
SHIHOちゃんは何がきっかけで結婚を決意しましたか？
彼のことは本当に大好きなので、
漠然とした不安よりも、今の彼への気持ちを大切にして、
突き進んだほうがいいのでしょうか……。（なっちゃん／28歳）

**私は、結婚に対しても何も不安がなかったので、
そのまま突き進みました。
なっちゃんが急に怖くなるのはなぜ？
やり残していることがあったり、
彼への不安要素があるのでしょうか。
それはいったい何？
突き詰めて答えを出してみてね。
彼と結婚してもいいと直感で感じているなら、
“結婚するということ”や、将来の家族像などについて
シミュレーションしたり、彼と話してみたり、
結婚に向けて動いてみてはどうでしょう。**

8

ずばり！　結婚後、旦那さんに対してどんな
愛情表現をしていますか？（ハーミ／26歳）

**キスと言葉と
料理、です。**

9

つき合って1年半の同い年の彼がいます。
彼とは性格や考え方もまったく違い、3日に1度はケンカ（笑）。
彼のことは大好きですが、衝突が多いので最近はちょっと疲れてきてしまいました。
性格が違っても、好きならこの先仲良くいられるのでしょうか？（ハニ／27歳）

**性格や考え方が違うのは、当たり前のこと。
それなら、二人の意見を合わせること自体、あきらめてみては？
彼は彼。私は私。違う意見を持ったうえで、相手の性格や
考え方を尊重する。それができたら、もっと楽につき合えるかも。**

左／**ローズクォーツ・ポリッシュ、インカローズ・ポリッシュ**　恋愛力をアップするパワーストーン。（KC JONES www.kcjones.co.jp）
上／**エンジェルオラクルカード2**　44枚のカードが、仕事や生活などあなたの質問に答えてくれます。（ライトワークス）

左から／**『心が楽になる　ホ・オポノポノの教え』**（イーストプレス刊）**『みんなが幸せになるホ・オポノポノ』**（徳間書店刊）。ハワイに伝わる伝統的な問題解決法「セルフアイデンティティ・スルー・ホ・オポノポノ」の第一人者、イハレアカラ・ヒューレンのインタビューを基にまとめた本。

STEP 4

Learn so much
after lost your love

キレイになるには失恋も大切

誰でも、大切にしていた恋がうまくいかなくなること、失恋の経験があると思います。今考えると、失恋するときは相手のことが見えていなくて自分のことばかり考えているときではないかなと。思いやりがなくなると、やっぱり相手からの想いもなくなってしまいます。でも、失恋を経験してこそ見えてくることがある。人は愛を知るために痛い思いを経験するのではないでしょうか？

失恋の痛手は大きく、とにかく涙は止まらないし、大切なものがなくなってしまって抜け殻のようになってしまいます。辛いのは当たり前で仕方なく、感情を抑えるよりも、悲しいという気持ちをちゃんと出したほうが浄化されるのも早い気がします。

そんなとき、無理やりにでも外に出してくれる仕事に、ずいぶんと救われました。恋愛に限らず、人は誰かに求められないと自分の存在価値を見い出しにくいもの。大好きだった彼はもう必要としてくれないけれど、私には仕事がある。「だから、大丈夫」。そんなふうに思って乗り越えていたものです。

そして、失恋するたびに、いろいろなことに気づかされます。人は、傷つかないとわからないこと、落ち込まないと見えないことがあります。失恋は、生き方を見つめ直す時間。失恋に限らず、落ち込むときも同じ。人は成長する生きものだから、変わらないといけないときに、必然的に“何か”が起こる気がします。恋人と喧嘩したり、浮気されたり、仕事がうまくいかなくなったり、人に裏切られたり。それは、今より成長して次に進まないといけない、変わらなくてはいけないんだという神様からのサイン。傷ついているときはそうは思えないけれど、思い返すと確実にそうだと思う。ずっと気になっていたけれど目をつぶってやり過ごしていたことや自分に嘘をついて過ごしてきたことは、いつか向き合わなくてはいけないときがきます。うまくいかなくなって落ち込み、自分自身と向き合い、考え、乗り越えていくことで、新しい自分や新しい出会いに巡り会える。落ち込んで初めて大切にしたいことが見えてくる。だから、傷ついたことにいつまでも感傷的になっているよりも、落ち込むだけ落ち込んだら、後は潔くあきらめ、未来のために気持ちを切り替えて必要なことをするほうが、ずっと早く喜びを手にすることができるはず。

あるとき、恋愛がうまくいかなくなって傷ついて、自分がダメなんだと否定し続けたときがありました。辛くて、もどかしくって、好きな人に認めてほしくて、振り向いてほしくてもがいていたけれど、考え過ぎて辛くなって、ふと、あきらめようと決意したんです。自分を責めることをやめて、喜べることや求めてくれる人との時間を大切にしようと気持ちを切り替えました。ネガティブな感情より、ポジティブな感情でいられるように行動しようと。そう決意してからはすごく変われました。

誰のためでもなく、自分の喜びのために生きること、喜ぶ選択をしてあげること。それは、いつしか、自分を愛するということなんだと気づきました。それが、悩んで落ち込んだあげくに出た答え。それまでの私は、“したい”という気持ちが優先で、どんなに傷ついても、どんなに人を傷つけてもそこを貫き通していたけれど、そのときを境に“したい”気持ちだけではなく、私や私に関わるすべての人たちにとって、“嬉しい”気持ちがイコールになることが幸せだと思えるようになりました。

そうすると、いつもいいことが起こるんです。自分はもちろん、まわりをよく見ること、そしてすべての人が満足していることが何よりも大切。そこに気づけたとき、好きな人とうまくいかなくなったのは、相手のことをきちんと見ていなかったからだとわかりました。想いばかりが優先して、相手の想いに気づけていなかった。自分を思いやり、相手を思いやる気持ちが「愛する」ということなのかもしれないと、失恋を通して初めて気づかされた。落ち込めば、自分が更新される。キレイになるためには振られて傷つくこともときには必要だったりします。

20代後半は、「自分の生きる道」というものに誰もが悩む時期なのかなと思います。私は、恋愛や結婚、仕事などの方向性にすごく思い悩んだ時期でした。誰かを好きで一緒にいたい気持ちや、逆に合わないのに一緒にいる意味。どんなときでも「自分らしい道を歩んでいるだろうか」と心に確認する必要があります。好きなのに生き方や歩む道が違う、お互い未来の方向性が違うのに一緒に頑張っている……そんなことってありませんか？　相手の生き方と自分の生き方を重ねることができたら一緒に歩んでいけるけれど、そうじゃないとどこかでぶつかってしまう。そんなとき大切なのは「どう生きていくか」という決意。自分らしさや生き方を見つけることは、幸せの条件だと思います。

自分らしさとは何か。それは「どんな人になりたいのか」ということ。考えるのではなく、感じること。今は嬉しい？　楽しい？　気持ちいい？　ここは好き？　いつも自分に聞いてあげる。どうしたら喜べるのか、満足するのか。そうやって、好きなことや理想を想い描いて、心地よく感じるプラスの感覚を増やしていってあげることを私はしてきました。マイナスの感情を抱くことは、それが細胞の中や意識の奥深くにインプットされて、自分自身を嫌いになってしまう可能性もあります。「好き」と思える行動を起こすこと。それが自分を好きになれるコツ。そして自分を愛するきっかけになると思います。「好き」が決まらないと、悩むし、ブレてしまう。悩むよりも、なりたい理想のために努力していれば、いつしかそれが自分らしさになります。

20代後半のとき、大好きな人の大切なものが仕事でした。私は仕事をサポートできる存在になれたらよかったのだけれど、そのときは、結婚して家庭を作りたかった。結局、お互い別々の人生を歩むことになったけれど、その後、私は大切な人と出会い結婚し、家庭を作ることができました。決めた理想が形になる。どんな人になりたいのか。何が大切で、譲れないものは何かが決まれば、強くなれる。毎日を、その理想のために過ごせばいいだけだから。そして、喜びのために強い意志で選択できれば、もっと相手のことも考えられます。なぜなら、自分を愛するその「愛」が増えるほど、まわりにも「愛」を注げる人になれるはずだから。

STEP 5

*The ability to love yourself
is the foundation of loving others*

恋から愛に成長する タイミング

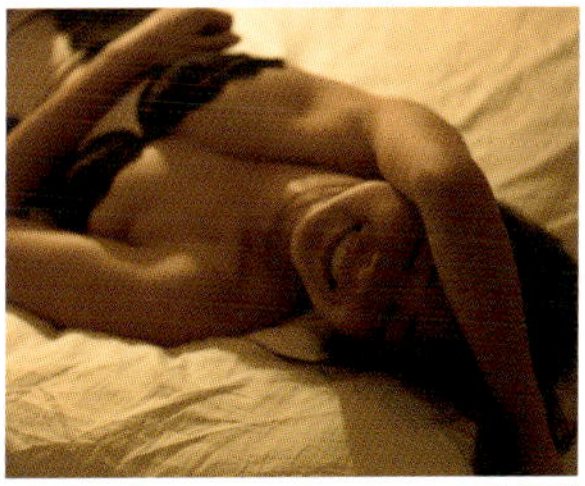

STEP 6 愛を持つ

love makes life beautiful

愛は、言葉では表現しきれないほど偉大で無限なるもの。料理も体操もスキンケアも、すべてに愛情を持って行えば効果が全然違うし、人は愛情を注がれれば注がれるほどキレイになれる。愛は肉体に、そしてマインドに、目に見えない影響力を与えてくれます。

例えば、格闘家である夫が、試合中にものすごい力を発揮しているのを見ると、練習を積み重ねてきたのはもちろんだけれど、それよりも彼の中にある精神が彼を強くしているように感じることがあります。それは、母親からの何ものにも代えがたい強い愛情や想いが、彼を強くしているのだと気づいたのです。人の想いは、必ず受けた人に受け継がれていくもの。親から受けた愛情は、自分の子へ。そしてまわりの人へ。気持ちは人に伝染します。私の母の、いちばんの魅力である優しいところを弟はちゃんと受け継いでいるし、私自身も、家族からたくさんの愛情をもらったおかげで、愛を信じ、感じることができているのだと思います。たとえ、何らかの事情で親の愛が不足していると感じている人も、その環境を否定しないで。否定してしまっては何も変われない。本当は人はいつだって変われるし、こうだと信じたものになれるのです。どんな環境でも感謝して初めて見えてくることがあるはずだから。

今の私が思う愛は、安らぎ。安らぎのある場所には人が集まるし、そんな場所を作り出せているかどうか、日々の生活の中でときどき立ち止まって見直すことはとても大切なことだと思います。なぜって、愛情があふれている場所にかなうものはないと思うから。愛にあふれた人のまわりには、笑顔や喜びが絶えないし、その逆に、暴力的な場所には、相応の出来事が起こってしまうと思います。思い返してみても、人の「想い」がひとつに集結しているとき、物事は予想を遥かに超えてうまくいくことが多いように思います。その正体は、たくさんの人たちの想い＝愛情。だから、何かがうまくいっていないと感じるときは、まわりに対する自分の愛が足りないのかもしれない、と考えるようにしています。物事がうまくいかないとき、環境を変えようと思いがちだけれど、そうではなくて、自分自身が変わると状況がまるで違ってきたりします。

もちろん、愛の存在は大きいけれど、形のない儚いものであり、壊れてしまったり、思い通りにならなかったり、掴みどころのないもの。それでも、いつも自分を信じること。こうだと信じるものを持つことがひとつの愛の形だと思うし、それがあるだけで人は変われます。

私は、家族がいて、モデルSHIHOに出会えたことが幸せです。家族が生き方を教えてくれ、SHIHOであることが生き方になった。家族から受け継いできたことを、生まれてくる子供たちに伝えていきたいし、女性として素敵だと思うことはモデルSHIHOを通して表現し続けたい。それが私の生き方。そこに、愛を持ち続けていきたい。大事なのは、信じたものに愛情を注ぎ続けていくこと。そこに向き合う姿勢が必ず美しさを作ってくれるから。

Afterword

この本作りに向き合い、BASE、ADORN、MINDといろいろ語ってきて思うことは、キレイになるために頑張っているときが人はいちばん輝いている。キレイになりたい、こんな人になりたいと理想を描いて、近づこうと努力する姿勢に美しさがにじみ出るし、その過程が自信になります。

人それぞれに個性があるように、美しいと思うものは人によって全然違います。だからこそ、自分にとっての「美しい」や「理想の生き方」を決めて磨き続ければ、自分らしい美しさに必ずたどり着ける。

私にとっての理想は、「いい女」であり、「いいモデル」であり、「いい妻」であり、「いい母親」であること。それぞれの立場で関わるすべての人が、笑顔で幸せにいられるように存在していたい。誰とでも素敵な関係を作り出せる女性が憧れです。年を重ねるごとに変化する美しさを楽しめるように、これからもそんな女性を目指して、毎日を大切に過ごしていきたい。

最後に、この本を出版するために協力してくださったすべての方々、そして今、この本を読んでくださっているみなさんへ、感謝の気持ちと愛を込めて。

この本が、みなさんにとって大切な1冊となりますように。

SHIHO.

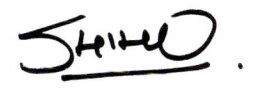

SHIHO's 50 Methods INDEX

SHIHO's Beauty Theory STAFF